P9-AGC-021

新編

識字魔法字典

小樹苗教育出版社有限公司

序

劉衛林教授

　　眾所周知要傳承和發揚一個國家或地區的文
化，就取決於這個國家或地區對於本身的文教事業
是否有足夠的重視，而文教事業的開展，又始於語
文學習的推行。傳統對於年青學子語文教育的培養
一向都極為重視，在《漢書‧藝文志》內，就有「
古者八歲入小學，故《周官》保氏掌養國子，教之
六書，謂象形、象事、象意、象聲、轉注、假借，
造字之本也」的記載，足以說明前人推動文教，不
但針對年青學子語文方面的學習，尤其重視從認識
文字方面入手。

　　唐羚女士一向熱衷文教，編成這本《識字魔法
字典》，從字形演變方面闡明漢字字形的源流本末
和組織結構，並附有筆順、詞語示範和漢語拼音，
對於年青學子掌握漢字字形和音義均至具裨益。此
外篇中每字均有英語對照，其下又附有英語例句，
以便學習時中英對照之用。書內對每字的解說，由
圖象而下，依篆、楷等發展先後展示，其後又附以
倉頡輸入碼。本書以上種種設計編排，可謂既能兼

顧學術與趣味，便於初學者入門；又能切合本地學子面對兩文三語的學習情況。本書的最大特色，是能從通貫古今和學以致用的角度，將漢字形音義等知識，向年青學子以極淺切及吸引的方式推介。

《識字魔法字典》的成編與刊行，其有助於兒童語文學習的推動，甚至有功於本地文教自不待言，然而更可貴的是，在本地文教墮落如斯，主導語文教育的袞袞諸公，但知以潮語設題考核學子；坊間不學無術的流俗，競以不查字典，用誤讀與俗音教人以立異取寵的今天，這本從基本文字認識入手，實事求是地教導學習語文的工具書，可說是在文教商品化社會中的一股逆流，在令人感到尤其難能可貴之餘，也就令人益加深信孔子所說「天之未喪斯文」這句話的真確。

二零一零年六月三日謹識於馬鞍山致遠軒

使用說明

單元索引
單元色塊引導
方便查閱學習

中文字認知
收錄豐富生字
標準漢語拼音

英文字對照
中英雙向學習
句子加強認知

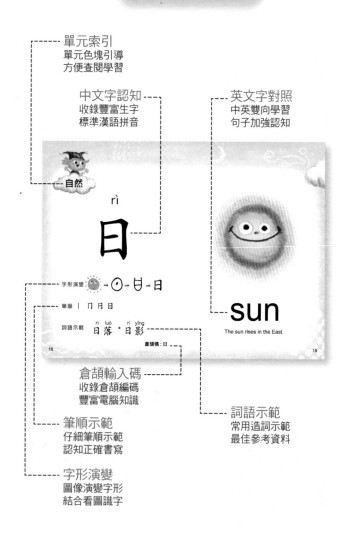

自然

rì

日

字形演變

筆順 丨 冂 冃 日

詞語示範　rì luò ・ rì yǐng
　　　　　日 落 ・ 日 影

倉頡碼：日

sun

The sun rises in the East.

18

19

倉頡輸入碼
收錄倉頡編碼
豐富電腦知識

詞語示範
常用造詞示範
最佳參考資料

筆順示範
仔細筆順示範
認知正確書寫

字形演變
圖像演變字形
結合看圖識字

編者簡介

唐 羚

　　中國文學系畢業,在教育學院主修中文及歷史。美國 Pacific Western University文學博士。中學時代已從事創作, 先後在報章及雜誌撰寫文章。歷任成人教育講師、雜誌及期 刊編輯,曾主編旅遊專書,主持港台文化節目等。經常出任 各項公開比賽評判,積極參與文化教育工作,經常出任各項 社會文化活動及主持講座。著作有:《江山花雨》、《校園 小小說》、《會考十八狀元榜》、《行萬里路讀萬卷書》、 《花影扶桑》等凡十多種。

繪者簡介

蔡耀東

　　現職設計師/插畫師,香港插畫師協會聯繫會員。二零 零二年畢業於大一設計學院。曾於香港公共圖書館舉辦之兒 童圖書創作比賽(2008)及MILK雜誌及Lee品牌聯辦之「Bud- dy.Lee」漫畫創作比賽中獲獎(2007)。插畫作品曾出展鯉景灣 蘇豪東藝術畫廊「想創我個心」畫展(2008),荃灣荃新天地 「Take a break with art」壁畫展(2009),及角色模型曾參展「 第四屆2009台北環球購物中心玩具大展」。現於繪本、插畫 及角色模型方面作多元發展。

自然類

植物類

動物類

人物類

身體類

物品類

水果類

動作類

其他類

對比類

自然

rì

日

字形演變  → ⊙ → ⊟ → 日

筆順 丨 冂 月 日

詞語示範
rì luò　rì yǐng
日落・日影

倉頡碼：日

18

sun

The sun rises in the East.

自然

yuè

月

字形演變  → 月 → 月 → 月

筆順　丿　刀　月　月

詞語示範　　yuè guāng　　míng yuè
　　　　　　月 光　·　明 月

倉頡碼：月

moon

The moon is bright tonight.

自然

tiān

天

字形演變

筆順 一 二 チ 天

詞語示範
tiān qì
天氣 ·
tiān kōng
天空

倉頡碼：一大

sky

The birds are flying in the sky.

自然

dì

地

字形演變

筆順 一 十 土 圵 地 地

詞語示範   dì xià   píng dì
地下 • 平地

倉頡碼：土心木

24

earth

The farmer is sowing seeds in the earth.

自然

shuǐ

水

字形演變

筆順 丨 丬 才 水

詞語示範

liú shuǐ · jiāng shuǐ
流水 · 江水

倉頡碼：水

water

Fish live in water.

shān

山

字形演變

筆順 丨 屮 山

詞語示範 　xiǎo shān　·　shān hé
小山 · 山河

倉頡碼：山

mountain

We climbed a mountain.

自然

chuān

川

字形演變

筆順 丿 丿丨 川

詞語示範 　　shān chuān　　　sì chuān
　　　　　 山 川 ・ 四 川

倉頡碼：中中中

river

A river flows across the land.

自然

hé

河

字形演變  → 𣲾 → 河 → 河

筆順 丶 冫 氵 沪 沪 沪 河 河

詞語示範　hé liú　huáng hé
河流 · 黃河

倉頡碼：水一弓口

32

river

There are two trees near the river.

自然

quán

泉

字形演變　 → 禼 → 泉 → 泉

筆順　ノ ′ 竹 白 白 宇 身
　　　身 泉

詞語示範　　quán shuǐ　　quán yuán
　　　　　　泉水 · 泉源

倉頡碼：竹日水

spring

Water comes from the spring nearby.

自然

hú

湖

字形演變 → 湖 → 湖 → 湖

筆順 、 丶 氵 汁 汁 汁 沽 沽
湖 湖 湖 湖

詞語示範　jiāng hú　　　 hú shuǐ
　　　　　 江湖　·　湖水

倉頡碼：水十口月

lake

The boy is fishing on the lake.

自然

yǔ

雨

字形演變 → 冊 → 雨 → 雨

筆順 一 厂 厅 币 兩 雨 雨 雨

詞語示範　下雨　·　雨水
　　　　　xià yǔ　　yǔ shuǐ

倉頡碼：一中月卜

rain

It rains a lot in summer.

自然

yún

雲

字形演變  → ⺈ → 雲 → 雲

筆順 一 一 一 雨 雨 雨 雨 雲 雲 雲 雲 雲

詞語示範　bái yún　yún cǎi
白雲 · 雲彩

倉頡碼：一月一一戈

40

cloud

It is cloudy today.

自然

diàn

電

字形演變 → 䨓 → 電 → 電

筆順 一 厂 戶 冗 示 雨 雨 雨
雷 雷 雷 雷 電

詞語示範　diàn guāng・shǎn diàn
電光・閃電

倉頡碼：一月田山

42

lightning

The lightning has struck a house.

自然

guāng

光

字形演變

筆順 ㇒ ⺌ ⺌ 业 屮 光

詞語示範　guāng liàng　guāng míng
　　　　　光 亮　·　光 明

倉頡碼：火一山

light

The torch gives light in the dark.

自然

léi

雷

字形演變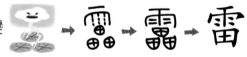

筆順 一 厂 厂 示 示 示 示 示 雫 雫 雫 霄 霄 雷

詞語示範

dǎ léi　　léi yǔ
打雷 ・ 雷雨

倉頡碼：一月田

thunder

It is raining heavily with thunder.

自然

xuě

雪

字形演變  → 雷 → 雷 → 雪

筆順　一 ⺈ ⼾ 币 乖 乖 雪 雪
　　　雪 雪 雪

詞語示範　xuě huā ・ bái xuě
　　　　　雪花 ・ 白雪

倉頡碼：一月尸一

48

snow

It snows in winter.

自然

shuāng

霜

字形演變 → 霜 → 霜 → 霜

筆順　一　厂　戶　雨　雨　雨　雪　雪
　　　雫　雫　霜　霜　霜　霜　霜　霜

詞語示範　shuāng xuě　　　bái shuāng
　　　　　霜 雪 ・ 白 霜

倉頡碼：一月木月山

frost

It is very cold with frost at night.

tǔ

土

字形演變

筆順 一 十 土

詞語示範 泥土^{ní tǔ} ‧ 土地^{tǔ dì}

倉頡碼：土

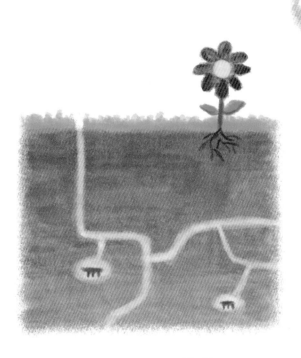

soil

This flower has deep root in the soil.

自然

ní

泥

字形演變  泥

筆順 ﹑ ﹑ ﹖ 沪 沪 沪 沪 泥

詞語示範   泥地 ní dì • 泥土 ní tǔ

倉頡碼：水尸心

mud

The truck is cleaning the mud.

tián

田

字形演變 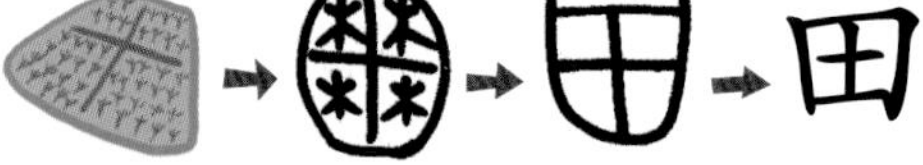

筆順 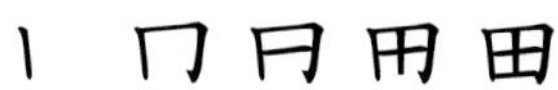

詞語示範

tián dì　tī tián
田地・梯田

倉頡碼：田

farm

A farmer is working in the farm.

自然

sēn

森

字形演變

筆順 一 十 オ 木 杰 杰 杰 森
森 森 森 森

詞語示範　sēn sēn　　sēn lín
森森 ‧ 森林

倉頡碼：木木木

forest

There are many tall trees in the forest.

自然

yān

煙

字形演變

筆順 、ソナナ火火灯灯炉炉炳炳煙煙煙

詞語示範　煙花 • 煙火
yān huā　　yān huǒ

倉頡碼：火一田土

smoke

There is smoke coming from the chimney.

自然

shí

石

字形演變  → 后 → 石 → 石

筆順 一 ア ア 石 石

詞語示範　石油 ・ 石塊
shí yóu　　shí kuài

倉頡碼：一口

stone

There are some great stones on the beach.

自然

hǎi

海

字形演變  → 𤄒 → 𣷖 → 海

筆順 丶 丶 氵 氵 汽 泸 海 海
海 海

詞語示範
hǎi yáng　dà hǎi
海洋・大海

倉頡碼：水人田卜

64

sea

There is a ship sailing on the sea.

自然

shā

沙

字形演變

筆順 `　ˋ　氵　汋　沙　沙　沙

詞語示範　沙^{shā}地^{dì} ·　沙^{shā}灘^{tān}

倉頡碼：水火竹

66

sand

Children love to play sand.

自然

xī

溪

字形演變

筆順 、 ˊ ˋ ˊ ˊ ˊ ˊ ˊ
溪 溪 溪 溪 溪

詞語示範
xī shuǐ ・ xiǎo xī
溪水 ・ 小溪

倉頡碼：水月女大

brook

The dog is drinking water in the brook.

自然

fēng

風

字形演變

筆順 丿 几 凡 凡 同 同 風 風 風

詞語示範　fēng yún　　dà fēng
　　　　　風雲　•　大風

倉頡碼：竹弓竹中戈

wind

A high wind rises now.

自然

xī

夕

字形演變  → 𠕎 → 𠂆 → 夕

筆順 ノ ク 夕

詞語示範
xī zhào・xī yáng
夕照・夕陽

倉頡碼：弓戈

72

evening

The sun sets in the evening.

自然

xīng

星

字形演變

筆順 丶 冂 日 日 尸 旦 星 星 星

詞語示範　星空 · 星星
　　　　　xīng kōng　xīng xīng

倉頡碼：日竹手一

star

Stars twinkle up above the sky.

自然

lù

路

字形演變 →蹈→路→路

筆順 丶 丶 口 口 甲 甲 甲 㟢 跱
跱 政 政 路 路

詞語示範
xiǎo lù　　mǎ lù
小路　·　馬路

倉頡碼：口一竹水口

76

road

There is a yellow car on the road.

自然

jìng

徑

字形演變

筆順 ㇒ ㇒ ㇒ 彳 彳 彳 徑 徑 徑 徑 徑

詞語示範

xiǎo jìng
小徑 · jìng dào
徑道

倉頡碼：竹人一女一

path

This is a path to the wood.

自然

huǒ

火

字形演變  → 火 → 火 → 火

筆順 丶 ノ 少 火

詞語示範　shēng huǒ　　huǒ guāng
　　　　　生 火　·　火 光

倉頡碼：火

fire

Do not play with fire!

自然

jīn

金

字形演變

筆順 丿 𠆢 𠆢 𠆢 全 全 金 金

詞語示範　金銀　·　白金

倉頡碼：金

82

gold

Gold is a kind of metal.

自然

hóng

虹

字形演變

筆順 ㇑ 丨 冂 口 中 虫 虫 虹 虹 虹

詞語示範　hóng qiáo　　cǎi hóng
　　　　　虹橋　•　彩虹

倉頡碼：中戈一

rainbow

There is a beautiful rainbow in the sky.

植物

mù

木

字形演變  → 米 → 米 → 木

筆順 一 十 才 木

詞語示範 　shù mù　　　mù cái
　　　　　樹木 • 木材

倉頡碼：木

wood

The chair is made of wood.

sōng

松

字形演變　 → 枀 → 枀 → 松

筆順　一 十 才 木 木 朳 松 松

詞語示範　xuě sōng 雪松　•　sōng shù 松樹

倉頡碼：木金戈

88

pine

There is a pine in the garden.

zhú

竹

字形演變　🎋 ➡ 𠆢 ➡ 竹 ➡ 竹

筆順　ノ ⺈ 𥫗 𥫗 竹 竹

詞語示範
zhú lín　　zhú yè
竹林　•　竹葉

倉頡碼：竹

bamboo

Pandas love to eat bamboo leaves.

植物

liǔ

柳

字形演變 → 柳 → 柳 → 柳

筆順 一 十 才 木 杧 杧 杧 柳 柳

詞語示範　柳枝　•　柳樹
liǔ zhī　　liǔ shù

倉頡碼：木竹竹中

92

willow

Willow is a tree with long leaves.

植物

bǎi

柏

字形演變 → 柏 → 柏 → 柏

筆順 一 十 才 木 朳 朾 朾 柏 柏 柏

詞語示範
bǎi shù　　sōng bǎi
柏樹　•　松柏

倉頡碼：木竹日

94

cypress

There is a cypress on the hill.

植物

huā

花

字形演變 花 → 花 → 花

筆順 一 十 十 艹 艹 花 花 花

詞語示範
xiān huā　鮮花・huā ér　花兒

倉頡碼：廿人心

flower

This is a beautiful flower.

植物

cǎo

草

字形演變

筆順　一 十 十 艹 艹 芍 苔 苩 草 草

詞語示範

xiǎo cǎo
小草 · 草地
cǎo dì

倉頡碼：廿日十

98

grass

There is a worm near the grass.

植物

yè

葉

字形演變 → 枼 → 葉 → 葉

筆順 一 十 𠃊 艹 芌 芷 芌 𦬼
葉 葉 葉 葉 葉

詞語示範
shù yè
樹葉
lù yè
綠葉

倉頡碼：廿心廿木

100

leaf

This is a green leaf from a plant.

植物

shù

樹

字形演變 🌳 ➡ 𣏂 ➡ 𣐈 ➡ 樹

筆順 一 十 才 木 杧 杧 杧 杧
杧 杧 桔 桔 桔 桔 樹 樹

詞語示範　shù mù　　shù lín
　　　　　樹木　·　樹林

倉頡碼：木土廿戈

tree

This is a tall tree.

植物

guǒ

果

字形演變　🍅 ➡ 果 ➡ 果 ➡ 果

筆順　丶 冂 冖 日 旦 甲 果 果

詞語示範　huā guǒ　shuǐ guǒ
　　　　　花果 • 水果

倉頡碼：田木

fruit

Do you like to have some fruits ?

植物

cài

菜

字形演變　　➔　𦺗　➔　𦼬　➔　菜

筆順　一　十　卄　艹　芏　芊　苹　芖
　　　苙　苹　苹　菜

詞語示範　shū cài　qīng cài
　　　　　蔬菜 · 青菜

倉頡碼：廿月木

106

vegetable

We like to eat vegetables.

植物

dòu

豆

字形演變

筆順 一 厂 兀 口 戸 亘 豆

詞語示範

dà dòu · dòu miáo

大豆 · 豆苗

倉頡碼：一口廿

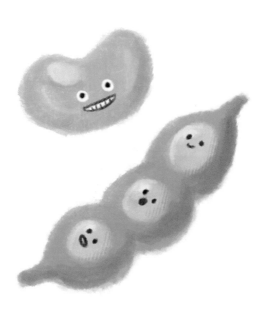

bean

He likes to eat green beans.

植物

guā

瓜

字形演變

筆順 一 厂 几 瓜 瓜

詞語示範
guā guǒ ・ nán guā
瓜果 ・ 南瓜

倉頡碼：竹女戈人

melon

Melon is a kind of vegetable.

植物

chá

茶

字形演變 🌲 ➡ 茶 ➡ 茶 ➡ 茶

筆順 一 十 卄 艹 艹 艾 茶 茶 茶 茶

詞語示範
chá hú · chá huā
茶壺 · 茶花

倉頡碼：廿人木

112

tea

May I have a cup of tea ?

植物

lì

栗

字形演變 🧅 → 栗 → 栗 → 栗

筆順　一 厂 厂 币 两 西 西 覀
　　　栗 栗

詞語示範　栗子 · 炒栗
　　　　　 lì zǐ　　chǎo lì

倉頡碼：一田木

114

chestnut

The chestnut has hard peel.

mǐ

米

字形演變  → 米 → 米 → 米

筆順 丶 ⺍ ⺌ 半 半 米

詞語示範

mǐ fàn　　dà mǐ
米飯　•　大米

倉頡碼：火木

rice

Chinese love to eat rice.

yù

芋

字形演變　 ➜ 芎 ➜ 芎 ➜ 芋

筆順　一 十 十 艹 芏 芏 芋

詞語示範　shān yù　yù tóu
　　　　　山芋 · 芋頭

倉頡碼：廿一木

taro

Can I have a taro flavoured ice cream ?

植物

lián

蓮

字形演變　🪷 → 䕼 → 蓮 → 蓮

筆順　一 艹 艹 艹 艹 芦 芦 菖
菖 菖 萆 萆 蓮 蓮

詞語示範　lián huā　shuì lián
　　　　　蓮花　•　睡蓮

倉頡碼：廿卜十十

120

lotus

Lotus grows in water.

植物

jú

菊

字形演變  → 蘜 → 蘜 → 菊

筆順 一 十 艹 艹 茡 芍 芍 苟
苟 菊 菊 菊

詞語示範　huáng jú　jú huā
黃菊・菊花

倉頡碼：廿心火木

122

chrysanthemum

I brought some Chrysanthemum flowers.

植物

sǔn

筍

字形演變  ➡ 筍 ➡ 筍 ➡ 筍

筆順 ⼁ ⼂ ⼃ 笋 筍 筍 筍 筍
筍 筍 筍 筍

詞語示範　sǔn gān ‧ zhú sǔn
　　　　　筍乾 ‧ 竹筍

倉頡碼：廿心日

124

bamboo shoot

There is a bamboo shoot growing in soil.

植物

lán

蘭

字形演變 → 蘭 → 蘭 → 蘭

筆順 一 十 艹 艹 艹 艹 艹 芦 芦 芦
芦 芦 芦 蘭 蘭 蘭 蘭 蘭 蘭 蘭 蘭

詞語示範　lán huā　　chūn lán
　　　　　蘭花　•　春蘭

倉頡碼：廿日弓田

126

orchid

The orchid is a very beautiful flower.

植物

shān

杉

字形演變  → 杉 → 杉 → 杉

筆順 一 十 才 木 杉 杉 杉

詞語示範
shān shù　　shān mù
杉樹　·　杉木

倉頡碼：木竹竹竹

128

fir

Fir is an evergreen tree with needle-like leaves.

植物

sāng

桑

字形演變

筆順 フ ヌ ヌ ヌ 号 叒 叒 桑 桑 桑

詞語示範

sāng má
桑麻 ·

sāng shù
桑樹

倉頡碼：水水水木

130

mulberry

There is a silkworm on the mulberry leaf.

植物

mài

麥

字形演變  → 夆 → 夆 → 麥

筆順 一 十 十 朿 术 夾 夾 夾
麥 麥 麥

詞語示範　　mài zi　　　xiǎo mài
　　　　　麥子 ‧ 小麥

倉頡碼：十人弓戈

132

wheat

This bread is made of wheat and flour.

植物

lín

林

字形演變  → 林 → 林 → 林

筆順 一 十 才 木 杧 杧 材 林

詞語示範
lín mù　shù lín
林木 • 樹林

倉頡碼：木木

forest

There are many plants in the forest.

動物

yú

魚

字形演變 → 魚 → 魚 → 魚

筆順　ノ ク ク 各 各 角 魚 魚 魚 魚 魚

詞語示範
xiān yú ・ jīn yú
鮮魚 ・ 金魚

倉頡碼：弓田火

fish

Fish cannot live without water.

wā

蛙

字形演變 🐸 ➝ 𧎨 ➝ 𧎧 ➝ 蛙

筆順 ﹅ 口 口 中 虫 虫 虫 虻 蚌 蛙 蛙 蛙

詞語示範　　蛙人　•　青蛙
　　　　　　wā rén　　qīng wā

倉頡碼：中戈土土

frog

Frog has a long tongue.

動物

mǎ

馬

字形演變　🐴 → ⚡ → 馬 → 馬

筆順　一　二　三　手　馬　馬　馬　馬　馬

詞語示範　mù mǎ　　jùn mǎ
　　　　　木馬　·　駿馬

倉頡碼：尸手尸火

horse

He is riding a horse.

yáng

羊

字形演變　 ➝ 羊 ➝ 羊 ➝ 羊

筆順　丶 丷 丷 兰 兰 羊

詞語示範　
xiǎo yáng　shān yáng
小羊・山羊

倉頡碼：廿手

sheep

The hair of sheep is called wool.

動物

niú

牛

字形演變

筆順 ノ 厂 仁 牛

詞語示範
niú nǎi　　xiǎo niú
牛奶・小牛

倉頡碼：竹手

144

COW

The cow is brown in colour.

動物

gǒu

狗

字形演變  → 狗 → 狗 → 狗

筆順 ノ 犭 犭 犭 狗 狗 狗 狗

詞語示範

huā gǒu
花狗 ・

xiǎo gǒu
小狗

倉頡碼：大竹心口

146

dog

This dog is very lovely.

動物

māo

貓

字形演變  ➡ 貓 ➡ 貓 ➡ 貓

筆順 　ˊ　ˊ　ㄅ　乎　乎　豸　豸　豸
　　　豸　豸　豸　貓　貓　貓　貓

詞語示範
māo yǎn ・ huā māo
貓眼 ・ 花貓

倉頡碼：月竹廿田

148

cat

The cat is chasing a mouse.

動物

tù

兔

字形演變  → 兔 → 兔 → 兔

筆順 ＇ ⺈ ⺈ ⿔ 色 兔 兔 兔

詞語示範
bái tù ・ tù zi
白兔 ・ 兔子

倉頡碼：弓山戈

150

rabbit

Rabbits love to eat carrot.

動物

lù

鹿

字形演變　🦌 ➝ 🦌 ➝ 🦌 ➝ 鹿

筆順　　　、　亠　广　户　庐　庐　庐　鹿
　　　　　鹿　鹿　鹿

詞語示範　lù jiǎo　　xùn lù
　　　　　鹿角　•　馴鹿

倉頡碼：戈難心

deer

The deer has large horns.

動物

shé

蛇

字形演變 🐍 ➔ 蛇 ➔ 蛇 ➔ 蛇

筆順 丶 ㇀ 口 口 中 虫 虫 虫 虫ʼ
蛇 蛇 蛇

詞語示範
dà shé ・ dú shé
大蛇 ・ 毒蛇

倉頡碼：中戈十心

154

snake

The snake is legless with a long body.

動物

hǔ

虎

字形演變  → → →虎

筆順 丨 ㅏ ㅏ 广 卢 虍 虎 虎

詞語示範 dǎ hǔ　lǎo hǔ
打虎 · 老虎

倉頡碼：卜心竹山

tiger

The tiger roars loudly.

動物

xiàng

象

字形演變

筆順 　ノ ク ク ク ク ク ク
象 象 象 象

詞語示範　象牙 · 大象
　　　　　xiàng yá　　　dà xiàng

倉頡碼：弓日心人

elephant

Elephants have a long nose.

動物

shǔ

鼠

字形演變 🐭 → 🐭 → 🐭 → 鼠

筆順 ⺈ ⺁ ⺌ ⺲ ⺲ 臼 臼 臼
臼 鼠 鼠 鼠 鼠

詞語示範
cāng shǔ　　lǎo shǔ
倉鼠　・　老鼠

倉頡碼：竹難女卜女

mouse

The mouse has a long tail.

xióng

熊

字形演變  → 熊 → 熊 → 熊

筆順　ㄥ ㄙ ㄅ 台 台 台 台 台能
　　能 能 能 能 能 熊

詞語示範　xióng māo　xiǎo xióng
　　　　　熊貓　•　小熊

倉頡碼：戈心火

bear

This bear is strong and tall.

動物

hóu

猴

字形演變  ➜ 猴 ➜ 猴 ➜ 猴

筆順　ノ ｊ ｊ ｊ 犭 犭 犷 狞
　　　狞 猗 猴 猴

詞語示範　mǔ hóu　hóu zi
　　　　　母猴 · 猴子

倉頡碼：大竹人弓大

monkey

Monkeys like to climb trees.

動物

zhū

豬

字形演變　 → 猪 → 猪 → 豬

筆順　一 ㇆ 犭 犭 犭 犭 豸 豸
豸 豸 豸 豸 豬 豬 豬

詞語示範

xiǎo zhū　　　zhū lóng
小豬　•　豬籠

倉頡碼：一人十大日

166

pig

This is a fat pig.

動物

bào

豹

字形演變  → 豹 → 豹 → 豹

筆順 ⺁ ⺁ ⺁ ⺁ 豸 豸 豸 豸 豹 豹

詞語示範
hǎi bào
海豹 ‧ bào pí
豹皮

倉頡碼：月竹心戈

168

leopard

Leopards run very fast.

動物

hú

狐

字形演變

筆順 ㇒ 犭 犭 犭 犳 狐 狐 狐

詞語示範

hú lí
狐狸
・
hú pí
狐皮

倉頡碼：大竹竹女人

fox

Foxes love to eat chickens.

動物

láng

狼

字形演變  → 狼 → 狼 → 狼

筆順　ノ 犭 犭 犭 犭 犭 犭 狼
　　　狼 狼

詞語示範　láng bèi　chái láng
　　　　　狼狽 ・ 豺狼

倉頡碼：大竹戈日女

172

wolf

The wolves are howling at night.

yā

鴨

字形演變　🦆 → 𩿟 → 𩾐 → 鴨

筆順　ﾉ 冂 日 日 甲 甲' 甲'' 甲'' 甲''
甲'' 甲'' 鴨 鴨 鴨 鴨 鴨 鴨

詞語示範　xiǎo yā　　yā dàn
小鴨　•　鴨蛋

倉頡碼：田中竹日火

duck

The ducks are swimming in the river.

動物

jī

雞

字形演變 → 雞 → 雞 → 雞

筆順 ＇ ＇ ＜ ＜ ＜ ＜ ＜ ＜ ＜ 奚
奚 奚 奚 奚 奚 奚 雞 雞 雞

jī dàn　　gōng jī
詞語示範 雞蛋 • 公雞

倉頡碼：月火人土

176

chicken

Chicken runs in the farm.

動物

é

鵝

字形演變　乙 → 䖺 → 䖺 → 鵝

筆順　ノ 一 千 手 我 我 我 我 我
我 我 我 我 鵝 鵝 鵝 鵝 鵝

詞語示範
tiān é　bái é
天鵝　•　白鵝

倉頡碼：竹戈竹日火

178

goose

A goose is swimming in the lake.

動物

chóng

蟲

字形演變　🐛 → 🪱 → 🪱 → 蟲

筆順　丶　口　口　虫　虫　虫　丶　虫　虫
　　　虫　虫　虫　虫　蟲　蟲　蟲　蟲　蟲

詞語示範
xiǎo chóng　　máo chóng
小 蟲 ・ 毛 蟲

倉頡碼：中戈中戈戈

180

worm

There is a green worm.

動物

jīng

鯨

字形演變　 → 鯨 → 鯨 → 鯨

筆順　ノ ⺈ ⺈ ⺈ 占 角 鱼 鱼 鱼 魚
魚 魚 魛 魛 鲸 鲸 鯨 鯨 鯨

詞語示範　jīng yú　xiǎo jīng
鯨魚　・　小鯨

倉頡碼：弓火卜口火

whale

Whales live in the sea.

動物

guī

龜

字形演變  → 🐢 → 𣎴 → 龜

筆順 ノ ⺈ ⺈ ⺈ 刍 刍 刍 刍 刍
龟 龟 龟 龟 龟 龜 龜 龜 龜

詞語示範
guī ké
龜殼
·
wū guī
烏龜

倉頡碼：弓難山

tortoise

Tortoises move slowly.

tuó

駝

字形演變 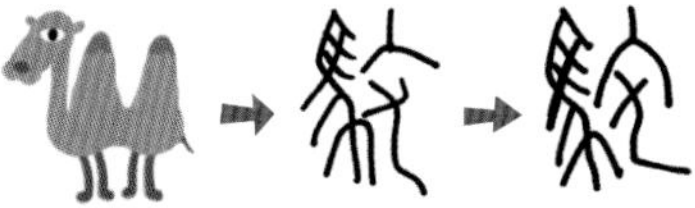 → 駝

筆順 一 二 三 手 馬 馬 馬 馬
馬 馬 馬 馬 駝 駝

詞語示範
luò tuó 駱駝 ・ tuó niǎo 鴕鳥

倉頡碼：尸火十心

camel

Camels live in desert.

動物

lú

驢

字形演變  → 𩡪 → 𩡪 → 驢

筆順　一 ニ 三 千 馬 馬 馬 馬 馬 馬 馬 馬 馬
驢 驢 驢 驢 驢 驢 驢 驢 驢 驢 驢 驢 驢

詞語示範　lú zi　　lú chē
　　　　　驢子 • 驢車

倉頡碼：尸火卜心廿

188

donkey

Donkeys have long ears.

luó

騾

字形演變 🐴 ➡ 𦓐 ➡ 𦓐 ➡ 騾

筆順　一　二　三　尹　馬　馬　馬　馬　馬　馬
　　　騾　騾　騾　騾　騾　騾　騾　騾　騾　騾

詞語示範　luó zi　luó mǎ
　　　　　騾子 • 騾馬

倉頡碼：尸火田女火

mule

Mules can lift heavy things.

動物

niǎo

鳥

字形演變  ➝ ➝ ➝ 鳥

筆順 ˊ ˊ ㇆ ㇆ 𣣺 𣣺 鳥 鳥 鳥 鳥 鳥

詞語示範

xiǎo niǎo
小鳥 ·

niǎo cháo
鳥巢

倉頡碼：竹日卜火

192

bird

The bird is singing in the tree.

動物

shòu

獸

字形演變

筆順 、 ´ ⴼ ⴼ ⴼ ⴼ ⴼ 罒 罒 罒 罒 罒 單 單 罒 單 單 單 罒 獸 獸 獸

詞語示範

niǎo shòu
鳥獸

yě shòu
野獸

倉頡碼：口口戈大

194

beast

There is a wild beast in the woods.

動物

yàn

燕

字形演變   🐦 ➝ 㷊 ➝ 㷊 ➝ 燕

筆順   一 十 卄 卄 艹 苢 苢 苢
苢 苢 疏 蒣 蒣 燕 燕 燕

詞語示範   xiǎo yàn   yàn wō
小燕 ‧ 燕窩

倉頡碼：廿中心火

196

swallow

Swallows fly to the south in winter.

動物

wén

蚊

字形演變

筆順 丶 口 口 中 虫 虫 虫ˋ 虻 虻 蚊

詞語示範

wén zi
蚊子

wén xiāng
蚊香

倉頡碼：中戈卜大

mosquito

Mosquitoes bite for blood.

動物

fēng

蜂

字形演變   🐝 ➡ 𧊒 ➡ 蜂 ➡ 蜂

筆順   丶 丷 口 中 虫 虫 虫 虫

蚁 蚁 蚁 蜂 蜂

詞語示範   mì fēng   gōng fēng

蜜蜂 · 工蜂

倉頡碼：中戈竹水十

bee

Bees make honey and can sting enemy.

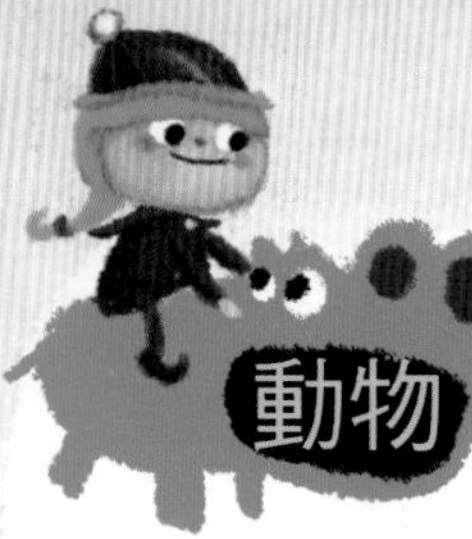

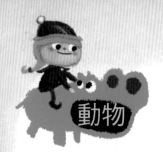

dié

蝶

字形演變 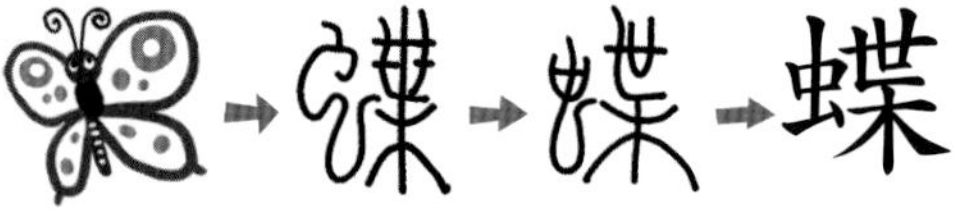

筆順 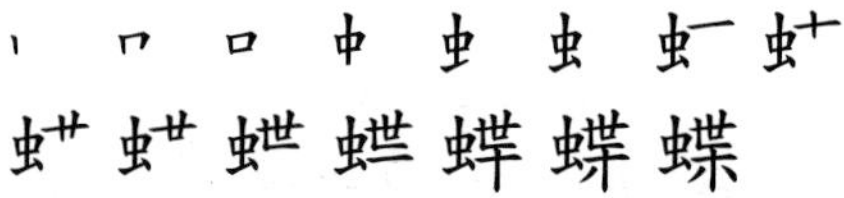

詞語示範

hú dié　　dié wǔ

蝴蝶・蝶舞

倉頡碼：中戈心廿木

butterfly

There is a butterfly on the flower.

動物

zhū

蛛

字形演變  ➡ 𧓋 ➡ 蛛 ➡ 蛛

筆順 丶 丷 口 中 虫 虫 虫 虫
蚄 蚄 蛛 蛛

詞語示範
zhū wǎng
蛛網

zhī zhū
蜘蛛

倉頡碼：中戈竹十木

spider

There is a spider on the wall.

動物

cán

蠶

字形演變 → 蠶 → 蠶 → 蠶

筆順
一 ㄷ ㅊ 死 死 死 死 死 残 兓 兓 兓
兓 兓 兓 兓 兓 蠶 蠶 蠶 蠶 蠶 蠶 蠶

詞語示範
cán chóng　　cán sī
蠶蟲　•　蠶絲

倉頡碼：一山日中戈

206

silkworm

Silkworms feed on the leaves of mulberry.

人物

rén

人

字形演變

筆順 ノ 人

詞語示範
xíng rén ‧ rén shēng
行人 ‧ 人生

倉頡碼：人

people

There are four people in the room.

nǚ

女

字形演變　 ➡ 飞 ➡ 中 ➡ 女

筆順　く 女 女

詞語示範
　nǚ ér　　nǚ gōng
　女兒　•　女工

倉頡碼：女

woman

A woman is walking in the street.

zi

子

字形演變

筆順 ㇇ 了 子

詞語示範
zǐ nǚ ・ hái zi
子女 ・ 孩子

倉頡碼：弓木

212

son

His son is five years old now.

gē

哥

字形演變  → 哥 → 哥 → 哥

筆順　一 ㄏ ㅜ 可 可 哥 哥 哥
　　　哥 哥

詞語示範　gē ge　•　biǎo gē
　　　　　哥哥　•　表哥

倉頡碼：一口弓口

brother

Mike is my elder brother.

人物

mèi

妹

字形演變  → 𡛷 → 𡚼 → 妹

筆順 乙 夊 女 女 女 姓 妹 妹

詞語示範
     mèi mei
妹妹 · 姐妹
                jiě mèi

倉頡碼：女十木

216

sister

Mary is my sister.

dì

弟

字形演變  → 弟 → 弟 → 弟

筆順 ⟍ ⸌⸜ ⸌⸜⸍ ⸌⸜⸍⸜ 弟 弟

詞語示範
dì di　xiōng dì
弟弟 · 兄弟

倉頡碼：金弓中竹

218

brother

My brother has a robot.

ér

兒

字形演變

筆順 ′ ⺅ ⺅ ⺈ ⺈ ⺈ ⺈ 兒

詞語示範　ér zi　ér tóng
兒子　·　兒童

倉頡碼：竹難竹山

child

Tom is a child.

zǐ

姊

字形演變

筆順 ㄑ 女 女 女 妡 姊 姊

詞語示範

zǐ zi 姊姊 ・ zǐ mèi 姊妹

倉頡碼：女中難竹

222

sister

Kate is my elder sister.

sūn

孫

字形演變

筆順 　ㄱ 了 孑 孑 犷 抒 孫 孫
孫 孫

詞語示範 　zǐ sūn　　sūn ér
　　　　子孫 · 孫兒

倉頡碼：弓木竹女火

grandchild

He has a grandchild.

fù

父

字形演變

筆順 ㇀ ㇒㇑ ㇒㇇ 父

詞語示範 父母 · 父子
_{fù mǔ} _{fù zǐ}

倉頡碼：金大

father

My father is wearing a pair of glasses.

人物

mǔ

母

字形演變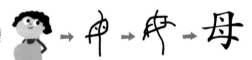

筆順 ㄥ ㄩ 母 母 母

詞語示範　mǔ qīn　fù mǔ
　　　　　母親　·　父母

倉頡碼：田卜戈

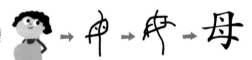

mother

My mother is having a baby.

yí

姨

字形演變  ➡ 𡜅 ➡ 𡢃 ➡ 姨

筆順 く 𡢀 女 女 𡢀 𡢀 𡢀 姨 姨

詞語示範　　姨母　・　姨姨
　　　　　　yí mǔ　　　yí yi

倉頡碼：女大弓

aunt

My aunt is going to visit me today.

shū

叔

字形演變

筆順　丨　卜　上　才　才　未　叔　叔

詞語示範
shū fù　　xiǎo shū
叔父　·　小叔

倉頡碼：卜火水

uncle

My uncle is tall.

人物

bó

伯

字形演變 → 𧘂 → 伯 → 伯

筆順 ノ イ イ 伃 伯 伯 伯

詞語示範
bó bo 伯伯 · bó fù 伯父

倉頡碼：人竹日

uncle

Jason is my uncle.

人物

yǒu

友

字形演變

筆順 一 ナ 方 友

詞語示範　
péng yǒu
朋友
・
yǒu hǎo
友好

倉頡碼：大水

236

friend

Thomas is my friend.

fū

夫

字形演變

筆順 一 二 ナ 夫

詞語示範 zhàng fū　nóng fū
丈夫 ‧ 農夫

倉頡碼：手人

238

man

That man is a farmer.

人物

wáng

王

字形演變 → 王 → 王 → 王

筆順 一 二 干 王

詞語示範　guó wáng ・ wáng zi
國王 ・ 王子

倉頡碼：一土

king

The king has a crown.

人物

shī

師

字形演變

筆順　ˊ ˊ ˊ ㇗ 自 自 自 師 師 師

詞語示範　老師 lǎo shī ・ 師長 shī zhǎng

倉頡碼：竹口一中月

teacher

He is a teacher.

xiān

仙

字形演變

筆順 ノ 亻 亻 仙 仙

詞語示範

shén xiān　　xiān zi

神仙 • 仙子

倉頡碼：人山

fairy

Children love to read fairy tales.

人物

zhí

姪

字形演變 → 𡥀 → 𡥀 → 姪

筆順 ㄑ ㄑ 女 女 女 妡 姄 姄 姄 姪

詞語示範

zhí ér
姪兒 ・

zǐ zhí
子姪

倉頡碼：女一戈土

246

nephew

Sam is same age as his nephew.

人物

biǎo

表

字形演變  → 麦 → 麦 → 表

筆順 一 二 キ 主 丰 丢 表 表

詞語示範
biǎo gē ・ biǎo yǎn
表哥 ・ 表演

倉頡碼：手一女

cousin

I have four cousins in my family.

jūn

軍

字形演變　 → 車 → 車 → 軍

筆順　ノ 冖 冖 冖 写 宣 宣 軍

詞語示範　
jūn duì　jiāng jūn
軍隊・將軍

倉頡碼：月十田十

250

soldier

He wants to be a soldier.

人物

yú

漁

字形演變　→澳→渙→漁

筆順　丶 丶 氵 氵 汀 汀 沆 沱
漁 漁 漁 漁 漁 漁

詞語示範　
yú fū
漁夫
•
yú chuán
漁船

倉頡碼：水弓田火

252

fisherman

The fisherman is catching fish with a net.

yóu

郵

字形演變   🚶 → 𡊨 → 𡊨 → 郵

筆順   ⼀ ⼆ ⼆ 壬 壬 壬 乖 垂
垂 郵 郵

詞語示範
yóu chāi   yóu jú
郵差 ‧ 郵局

倉頡碼：竹一弓中

254

postman

The postman sends letters to us.

人物

lín

鄰

字形演變　井 井 → 粦阝 → 粦阝 → 鄰

筆順　丶 丷 丷 半 半 米 米 米 米 米 米 粦 粦 舛 舛 鄰

詞語示範　　lín jū　　　lín jìn
　　　　　　鄰居　•　鄰近

倉頡碼：火手弓中

256

neighbour

Ben loves to play with his neighbours.

人物

shāng

商

字形演變  ➝ 商 ➝ 商 ➝ 商

筆順 丶 亠 古 立 产 产 产 商 商 商 商

詞語示範　shāng yè 商業　•　shāng rén 商人

倉頡碼：卜金月口

merchant

My father is a merchant.

身體

kǒu

口

字形演變

筆順 丨 冂 口

詞語示範
kǒu bí　　kāi kǒu
口鼻 · 開口

倉頡碼：口

mouth

Tony has a big mouth.

身體

yá

牙

字形演變  → → →

筆順 一 二 牙 牙

詞語示範
shuā yá　　yá chǐ
刷牙　‧　牙齒

倉頡碼：一女木竹

tooth

We brush our teeth twice a day.

身體

shé

舌

字形演變  → ↛ → 舌 → 舌

筆順 一 二 千 千 舌 舌

詞語示範

shé jiān
舌尖 ．

shé tóu
舌頭

倉頡碼：竹十口

tongue

He is showing his tongue.

身體

yǎn

眼

字形演變  → 眼 → 眼 → 眼

筆順　丨 冂 冂 月 目 目 目 目
　　　眼 眼 眼

詞語示範　眼鏡 ‧ 眼睛
　　　　yǎn jìng　　yǎn jīng

倉頡碼：月山日女

266

eye

Mary has big eyes.

身體

méi

眉

字形演變  → 眉 → 眉 → 眉

筆順 ㄱ ㄗ ㄹ ㄚ ㄕ ㄕ 眉 眉 眉

詞語示範　eméi máo　　yǎn méi
眉毛　•　眼眉

倉頡碼：日竹月山

eyebrow

Peter has thick eyebrows.

身體

bí

鼻

字形演變  ➡ 畀 ➡ 鼻 ➡ 鼻

筆順 ㇒ ㇒ ㇆ 自 自 自 自 鳥

鼻 畠 畠 鼻 鼻 鼻

詞語示範　bí zi　gāo bí
鼻子 • 高鼻

倉頡碼：竹山田一中

nose

My father has a big nose.

身體

chún

唇

字形演變

筆順　一　厂　厂　厂　厅　辰　辰　辰　辱　唇

詞語示範

chún gāo
唇膏 ●

chún shé
唇舌

倉頡碼：一女口

lip

My sister is colouring her lips.

身體

ěr

耳

字形演變

筆順 一 ㄈ ㄇ ㄇ 耳 耳

詞語示範 　ěr huán　 · 　ěr duǒ
　　　　　耳環　 · 　耳朵

倉頡碼：尸十

274

ear

Benny has big ears.

身體

shēn

身

字形演變

筆順 ′ 亻 丫 勺 身 身 身

詞語示範
shēn gāo ・ shēn tǐ
身高 ・ 身體

倉頡碼：竹難竹

body

He has a healthy body.

身體

tóu

頭

字形演變  → 頭 → 頭 → 頭

筆順 一 ㄎ 丂 豆 豆 豆 豆 豆 頭 頭 頭 頭 頭

詞語示範　tóu bù　　tóu nǎo
　　　　　頭部　•　頭腦

倉頡碼：一廿一月金

head

He is wearing a hat on his head.

身體

fà

髮

字形演變 → →

筆順 一 厂 F F 〒 〒 長 長

髟 髟 髟 髥 髡 髮 髮

詞語示範　tóu fà　　máo fà
頭髮　•　毛髮

倉頡碼：尸竹戈大大

hair

My sister has long hair.

身體

máo

毛

字形演變  → → →

筆順 毛

詞語示範
máo fà · hàn máo
毛髮 · 汗毛

倉頡碼：竹手山

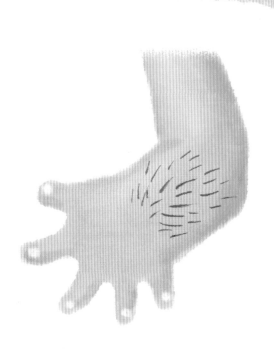

hair

There are hairs on our body.

身體

jiǎo

腳

字形演變 　🦶 ➡ 腳 ➡ 腳 ➡ 腳

筆順　ノ 刀 月 月 月 *月* *月* *月*
　　　肸 *胪* *胳* *腳* 腳

詞語示範　shǒu jiǎo　　jiǎo bù
　　　　　手腳 • 腳步

倉頡碼：月金口中

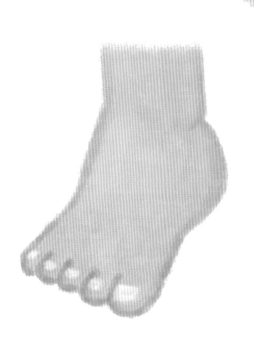

foot

Jane goes to school on foot.

身體

jiān

肩

字形演變　 → 肩 → 肩 → 肩

筆順　　　丶 亠 亠 戶 戶 肩 肩 肩

詞語示範　jiān bèi　　jiān bǎng
　　　　　肩背　•　肩膀

倉頡碼：竹尸月

shoulder

The man is showing his shoulder.

身體

shǒu

手

字形演變

筆順 `一 二 三 手`

詞語示範

shǒu biǎo
手錶

shuāng shǒu
雙手

倉頡碼：手

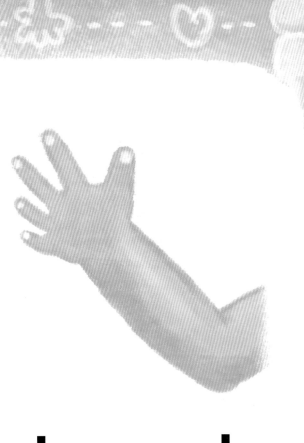

hand

Wash your hands before eating.

身體

bèi

背

字形演變　 → 背 → 背 → 背

筆順　丶　丬　爿　北　北　背　背　背　背

詞語示範　背部　・　肩背
　　　　　bèi bù　　jiān bèi

倉頡碼：中心月

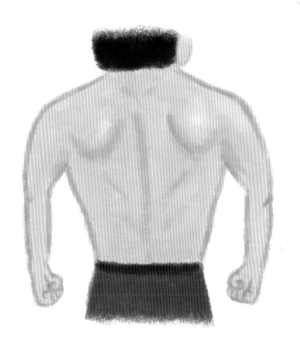

back

The man has a strong back.

xīn

心

字形演變

筆順　ㄟ　心 心 心

詞語示範　真心　‧　心臟
　　　　　zhēn xīn　　　xīn zāng

倉頡碼：心

heart

Sam 's heart is beating fast after running.

身體

pí

皮

字形演變  → 𢨒 → 皮 → 皮

筆順 一 ナ 广 广 皮

詞語示範　 pí xiāng　 pí fū
　　　　　皮箱 · 皮膚

倉頡碼：木竹水

skin

Babies have soft skin.

身體

xiě

血

字形演變

筆順 丶 亻 白 血 血 血

詞語示範　血液　．　心血
　　　　　xiě yè　　 xīn xiě

倉頡碼：竹月廿

blood

I cut my finger and blood comes out.

身體

gǔ

骨

字形演變  → 骨 → 骨 → 骨

筆順 　丨冂冂冎冎骨骨骨
　　　骨骨

詞語示範 　gǔ tóu　　gǔ gé
　　　骨頭 • 骨骼

倉頡碼：月月月

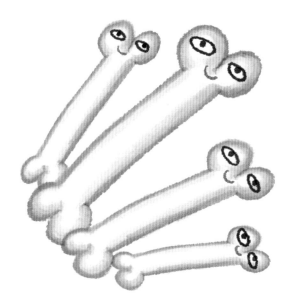

bone

Dogs love to eat bone.

身體

wèi

胃

字形演變  → 胃 → 胃 → 胃

筆順 丶 口 日 日 田 田 門 胃 胃 胃

詞語示範
cháng wèi　　wèi kǒu
腸 胃 ・ 胃 口

倉頡碼：田月

stomach

Cows have four stomachs.

cháng

腸

字形演變　 → 腸 → 腸 → 腸

筆順　ノ 月 月 月 月 月^一 月^一 胪 胪 胪 腸 腸 腸

詞語示範　
dà cháng　　zhū cháng
大腸 · 豬腸

倉頡碼：月日一竹

302

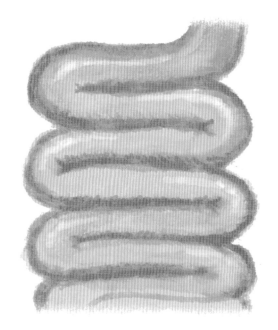

intestine

There are intestines inside our tummy.

身體

zhǎng

掌

字形演變  → 掌 → 掌 → 掌

筆順 丨 ⺌ ⺌ ⺌ 堂 堂 堂 堂 堂 堂 堂 掌

詞語示範
shǒu zhǎng
手掌 ・
gǔ zhǎng
鼓掌

倉頡碼：火月口手

304

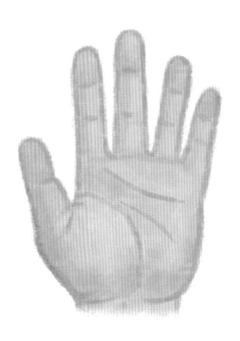

palm

He has a thick palm.

身體

jiǎ

甲

字形演變

筆順 丶 冂 冂 日 甲

詞語示範　指甲・甲等
zhǐ jiǎ　jiǎ děng

倉頡碼：田中

nail

We should keep our nails clean.

身體

zhǐ

趾

字形演變　 ➔ 趾 ➔ 趾 ➔ 趾

筆順　`丶 ⺊ ⼝ 吊 吊 足 足 趴`
趴 趴 趾

詞語示範　　zú zhǐ　　　jiǎo zhǐ
　　　　　　足趾　•　腳趾

倉頡碼：口一卜中一

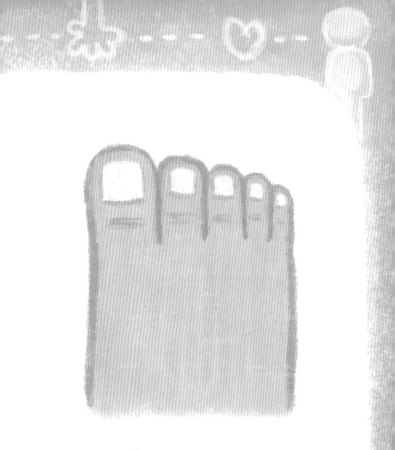

toe

We have ten toes.

身體

mù

目

字形演變

筆順 丨 冂 冂 月 目

詞語示範

yǎn mù mù biāo
眼目 · 目標

倉頡碼：月山

eye

Close your eyes and listen to the music.

身體

zú

足

字形演變

筆順 丶 丨 冂 口 卩 F 足 足

詞語示範
shǒu zú
手足　·　zú gòu
足夠

倉頡碼：口卜人

312

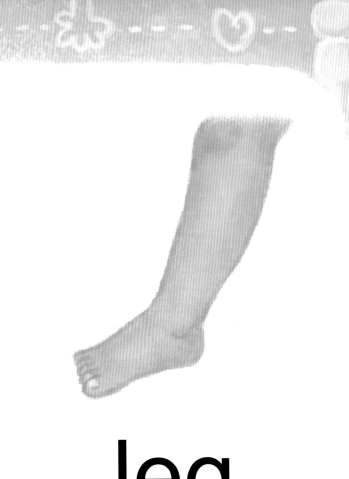

leg

I have pain in my leg.

jīn

巾

字形演變  → 巾 → 巾 → 巾

筆順 丨 冂 巾

詞語示範　圍巾 ‧ 毛巾
wéi jīn　máo jīn

倉頡碼：中月

314

towel

Mary wiped her hands with a towel.

物品

bù

布

字形演變　 ➜ 吊 ➜ 吊 ➜ 布

筆順　一ナ才右布

詞語示範　花布 ・ 桌布
huā bù　　zhuō bù

倉頡碼：大中月

cloth

He brought a cloth from a shop.

物品

yī

衣

字形演變 👕 ➡ ⼈ ➡ ⼈ ➡ 衣

筆順 ﹀ 亠 ナ 才 衤 衣

詞語示範　新衣　‧　衣服
　　　　　xīn yī　　　yī fú

倉頡碼：卜竹女

clothes

Jack is wearing his new clothes.

物品

chǐ

尺

字形演變

筆順 ㄱ ㄱ 尸 尺

詞語示範　間尺　‧　直尺
jiān chǐ　　zhí chǐ

倉頡碼：尸人

320

ruler

This is a long ruler.

物品

bǐ

筆

字形演變　✏ → 𢒹 → 筆 → 筆

筆順　ノ ト ⺮ ㄅ ⺮ ⺮ 竹 竿
筆 筆 筆 筆

詞語示範　máo bǐ　qiān bǐ
毛筆　・　鉛筆

倉頡碼：竹中手

pencil

Please write with a pencil.

物品

xìn

信

字形演變

筆順 ノ 亻 亻 信 信 信 信 信 信

詞語示範
xìn jiàn
信件 ・
jì xìn
寄信

倉頡碼：人卜一口

letter

Alvin is writing a letter to his friend.

物品

shū

書

字形演變  → 書 → 書 → 書

筆順 ㄱ ㄱ ㅋ ㅋ 크 聿 聿 書 書 書 書

詞語示範
dú shū · shū běn
讀書 · 書本

倉頡碼：中土日

book

Henry is reading a book.

物品

dāo

刀

字形演變 🗡 ➙ 刀 ➙ 刀 ➙ 刀

筆順　フ刀

詞語示範　　dà dāo　　dāo zi
　　　　　　大刀 ・ 刀子

倉頡碼：尸竹

328

knife

The butcher is cutting meat with a knife.

物品

yù

玉

字形演變 ○ → 禹 → 王 → 玉

筆順 一 二 千 王 玉

詞語示範　玉器 ・ 玉石
　　　　　yù qì 　　yù shí

倉頡碼：一土戈

jade

My mother has a jade ring.

物品

huà

畫

字形演變 　→ 畫 → 畫 → 畫

筆順　ㄱ　ㄱ　ㅋ　ㅋ　聿　畫　書　書
　　　書　書　書　畫

詞語示範　　tú huà　　　huà bǐ
　　　　　圖畫　•　畫筆

倉頡碼：中土田一

picture

Children like to draw pictures.

bēi

杯

字形演變

筆順 一 十 才 木 杧 杧 杯 杯

詞語示範

chá bēi
茶杯 ‧

bēi zi
杯子

倉頡碼：木一火

cup

May I have a cup of tea?

物品

hú

壺

字形演變　 ➜ 壺 ➜ 壺 ➜ 壺

筆順　一 十 士 士 吉 吉 吉 壴
壴 壴 壴 壺 壺 壺 壺

詞語示範　táo hú　chá hú
陶壺　•　茶壺

倉頡碼：土月中一

pot

This is a tea pot.

物品

chí

匙

字形演變 →匙→匙→匙

筆順 丶 冂 冃 日 旦 早 早 昂
是 匙 匙

詞語示範　chá chí　　　chí gēng
　　　　　茶匙　•　匙羹

倉頡碼：日人心

338

spoon

We drink soup with spoon.

物品

gōng

弓

字形演變)) ➡ 弓 ➡ 弓 ➡ 弓

筆順 ㄱ ㄢ 弓

詞語示範 gōng jiàn ・ dàn gōng
弓箭 ・ 彈弓

倉頡碼：弓

bow

A bow is used to shoot an arrow.

物品

fǔ

斧

字形演變  → → →

筆順 ㇒ ㇒㇒ ㇒㇒㇒ ㇒㇒㇒㇒ ㇒㇒㇒㇒㇒ ㇒㇒㇒㇒㇒㇒ 斧 斧

詞語示範　fǔ tóu　·　dāo fǔ
　　　　　斧頭　·　刀斧

倉頡碼：金大竹一中

axe

The man is cutting wood with an axe.

物品

bāo

包

字形演變

筆順 ㇒ ㇆ 勹 匀 包

詞語示範   shū bāo   pí bāo
           書包 ・ 皮包

倉頡碼：心口山

bag

Charles is carrying a large school bag.

物品

jǐng

井

字形演變  → 井 → 井 → 井

筆順 一 二 ヂ 井

詞語示範
shuǐ jǐng ・ dǎ jǐng
水井 ・ 打井

倉頡碼：廿廿

346

well

People get water from a well.

物品

xié

鞋

字形演變  ➡ 鞋 ➡ 鞋 ➡ 鞋

筆順　一 十 廿 廿 艹 苩 苩 苩
　　　革 革 革¹ 革 鞋 鞋 鞋

詞語示範　pí xié　　qiú xié
　　　　　皮鞋　•　球鞋

倉頡碼：廿十土土

shoe

I have a pair of new shoes.

yǐ

椅

字形演變  → 椅 → 椅 → 椅

筆順　一 十 才 木 朼 杧 柈 柈 椅 椅 椅 椅

詞語示範　椅子 · 木椅
　　　　　yǐ zi　　 mù yǐ

倉頡碼：木大一口

chair

He is sitting on a chair.

物品

zhuō

桌

字形演變  → 桌 → 桌 → 桌

筆順 ㇀ ㇀ ㇀ 占 占 卓 卓 卓
　　　桌 桌

詞語示範　mù zhuō　　zhuō zi
　　　　　木桌　•　桌子

倉頡碼：卜日木

desk

Put all the books on the desk.

物品

mén

門

字形演變  → 𠕋 → 門 → 門

筆順 丨 𠆢 𠃌 𠄌 𠃌 門 門 門

詞語示範
chéng mén　　dà mén
城門　·　大門

倉頡碼：日弓

354

door

Open the door please.

物品

chuāng

窗

字形演變

筆順 丶 丶 宀 宀 空 空 空 窑 窑 窑 窗 窗

詞語示範

mén chuāng　　chuāng hù
門窗 · 窗戶

倉頡碼：十金竹田大

356

window

There are two windows in the room.

物品

sǎn

傘

字形演變

筆順 ノ 人 人 ヘ 仐 仐 仝 仝 仝 仝 仝 傘

詞語示範

yǔ sǎn
雨傘 ．
dǎ sǎn
打傘

倉頡碼：人人人十

358

umbrella

We bring an umbrella when it rains.

chuáng

牀

字形演變 → 牀 → 牀 → 牀

筆順 丶 丬 爿 爿 爿一 牀 牀 牀

詞語示範　shuì chuáng　　dà chuáng
　　　　　睡牀　•　大　牀

倉頡碼：女一木

360

bed

We should go to bed early at night.

物品

dēng

燈

字形演變 → 火燈 → 爐 → 燈

筆順 丶 丿 丷 火 灯 灯 灯 炒 炒 烃 烃 焓 焓 燈 燈

詞語示範　huā dēng　　diàn dēng
　　　　　花燈　•　電燈

倉頡碼：火弓人廿

lamp

He is reading a book with a lamp.

zhú

燭

字形演變　🕯 ➡ 燭 ➡ 燭 ➡ 燭

筆順　、ソ ツ ツ 火 火 炉 炉 炉 炉
炉 焛 焛 焛 焗 燭 燭 燭

詞語示範
dēng zhú　　　là zhú
燈燭・蠟燭

倉頡碼：火田中戈

364

candle

There is a candle on the cake.

物品

chuán

船

字形演變  ➡ 舩 ➡ 船 ➡ 船

筆順 ′ ⺉ ⺉ 舟 舟 舟 舟 舩
舩 船 船

詞語示範　dà chuán　　lún chuán
大 船　•　輪 船

倉頡碼：竹卜金口

366

boat

We sail our boat in the lake.

物品

chē

車

字形演變 🚗 ➡ 轟 ➡ 車 ➡ 車

筆順 一 厂 厂 亘 百 亘 車

詞語示範
  qì chē   chē piào
  汽車 • 車票

倉頡碼：十田十

car

The boy is waving in the car.

物品

qián

錢

字形演變

筆順 ノ 𠂉 𠂉 𠂉 午 午 金 金 釒 䤹 錢 錢 錢 錢 錢

詞語示範
jīn qián
金錢
•
qián bāo
錢包

倉頡碼：金戈戈

370

money

How much money do you have?

物品

pán

盤

字形演變  → 盤 → 盤 → 盤

筆順 ㇒ 丿 力 舟 舟 舟 舟 舡
般 般 般 槃 槃 盤 盤

詞語示範　　pán zi　　　　　dà pán
盤子　•　大盤

倉頡碼：竹水月廿

plate

There are many fruits in the plate.

物品

píng

瓶

字形演變　🏺 ➜ 篊 ➜ 𤭉 ➜ 瓶

筆順　丶 丷 丷 䒑 羊 并 并 瓶
瓶 瓶

詞語示範　píng zi　　huā píng
瓶子 • 花瓶

倉頡碼：廿廿一女弓

vase

There are some flowers in the vase.

物品

guō

鍋

字形演變　🍲 → 鍋 → 鍋 → 鍋

筆順　ノ 𠆢 𠂉 𠂉 牟 牟 金 金 釒
釒 釒 釒 鍋 鍋 鍋 鍋 鍋

詞語示範
huǒ guō
火鍋 ● diàn guō
電鍋

倉頡碼：金月月口

pot

There is a pot in the kitchen.

dié

碟

字形演變 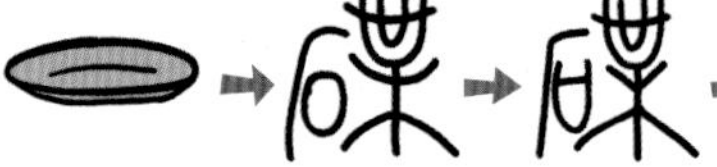 碟

筆順 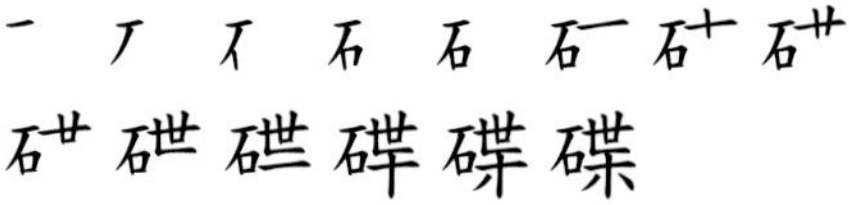

詞語示範 碟子 (dié zi) · 杯碟 (bēi dié)

倉頡碼：一口心廿木

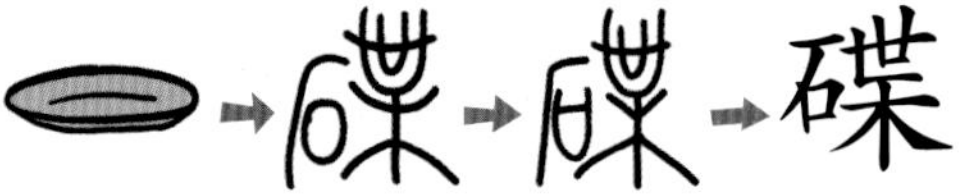

dish

Please put a dish on the table.

物品

qiú

球

字形演變  → 球 → 球 → 球

筆順　一 二 Ŧ 王 Ŧ¹ 玎 玎 玎
　　　球 球 球

詞語示範　pí qiú　lán qiú
　　　　　皮球 · 籃球

倉頡碼：一土戈十水

ball

Danny likes to play ball.

物品

kuài

筷

字形演變　∥∥ → 怏 → 筷 → 筷

筆順　ノ ← ← ← ← ← ←
　　　 筷 筷 筷 筷 筷

詞語示範　　kuài zi　·　wǎn kuài
　　　　　　筷子　　·　碗筷

倉頡碼：竹心木大

chopstick

Chinese eat with chopsticks.

物品

wǎn

碗

字形演變 🥣 → 碗 → 硐 → 碗

筆順　一　ア　イ　石　石　石　石ˊ　矿
　　　矿　矿　矿　砝　碗

詞語示範　wǎn dié　　fàn wǎn
　　　　　碗碟　•　飯碗

倉頡碼：一口十弓山

bowl

Can I have a bowl of soup?

shū

梳

字形演變  → 梳 → 梳 → 梳

筆順　一 十 才 木 杧 杧 杧 梳 杧 梳 梳

詞語示範　梳子 ・ 木梳
　　　　　shū zi　　mù shū

倉頡碼：木卜戈山

comb

Mary has a new wood comb.

物品

jìng

鏡

字形演變　 → 鏡 → 鏡 → 鏡

筆順　ノ 𠂉 𠂉 𠂉 乍 牟 余 金 金 金
　　　釒 釒 鈐 鈐 鋅 鏡 鏡 鏡 鏡

詞語示範　jìng zi　　　tóng jìng
　　　　　鏡子　•　銅鏡

倉頡碼：金卜廿山

mirror

Kate is holding a mirror.

物品

zhǐ

紙

字形演變  ➡ 紙 ➡ 紙 ➡ 紙

筆順 ˊ ㄠ ㄠ ㄠ ㄠ ㄠ ㄠ 糸 紅
紙 紙

詞語示範　zhǐ zhāng　　xìn zhǐ
　　　　　紙 張 ‧ 信 紙

倉頡碼：女火竹女心

paper

They write on a piece of paper.

物品

shàn

扇

字形演變

筆順 `、 ㇐ ㇕ 户 户 户 肩 扇 扇 扇`

詞語示範 　shàn zǐ　·　fēng shàn
　　　　　扇子　·　風扇

倉頡碼：竹尸尸一一

392

fan

Would you please turn on the fan?

物品

jiā

夾

字形演變　人 → 夾 → 夾 → 夾

筆順　一 ナ ᄀ 夾 夾 夾 夾

詞語示範　夾子 ・ 紙夾
　　　　　jiā zǐ　　zhǐ jiā

倉頡碼：大人人

394

clip

Please put the pictures together with a clip.

水果

chéng

橙

字形演變

筆順 一 十 十 才 木 朳 朳 朳 朳
朳 朳 棓 棓 棓 橙 橙

詞語示範 huángchéng ‧ chéng zi
黃 橙 ‧ 橙 子

倉頡碼：木弓人廿

orange

Orange is round in shape.

水果

táo

桃

字形演變  → 桃 → 桃 → 桃

筆順　一 十 オ 木 朴 杁 朴 杪 桃 桃

詞語示範
táo zi　　táo huā
桃子 · 桃花

倉頡碼：木中一人

398

peach

Peach tastes sweet.

水果

xìng

杏

字形演變

筆順 一 十 才 木 杏 杏 杏

詞語示範 杏子_{xìng zi} ・ 杏仁_{xìng rén}

倉頡碼：木口

400

almond

Almond is a kind of nut.

水果

jú

桔

字形演變 🍒 ➜ 格 ➜ 桔 ➜ 桔

筆順 一 十 才 木 杧 杧 枯 桔 桔 桔

詞語示範
桔子 ・ 柑桔
jú zi ・ gān jú

倉頡碼：木土口

tangerine

Tangerine looks like an orange but it is smaller.

水果

yòu

柚

字形演變  → 柚 → 柚 → 柚

筆順 一 十 才 木 木 杣 枏 柚 柚

詞語示範
yòu zi
柚子 ・
shā tián yòu
沙田柚

倉頡碼：木中田

404

grapefruit

Would you like a glass of grapefruit?

水果

jiāo

蕉

字形演變  → 龔 → 龔 → 蕉

筆順 一 十 艹 艹 艹 艻 艻 芢
芢 芢 荏 蓕 蓕 蕉 蕉 蕉

詞語示範　　xiāng jiāo　　　　jiāo yè
香蕉　•　蕉葉

倉頡碼：廿人土火

banana

Do you like to eat banana?

水果

gān

柑

字形演變　　　→ 柑 → 柑 → 柑

筆順　一　十　才　木　木　朴　柑　柑　柑

詞語示範　　gān zi　　　　gān jú
　　　　　柑子　•　柑桔

倉頡碼：木廿一

mandarin orange

I want a mandarin orange drink.

水果

lí

梨

字形演變  ➡ 㮚 ➡ 㮚 ➡ 梨

筆順　　ノ 二 千 千 禾 利 利 利
　　　　利 利 梨

詞語示範　　xuě lí　　　lí huā
　　　　　雪梨 ． 梨花

倉頡碼：竹弓木

410

pear

There are five pears.

水果

shì

柿

字形演變  → 柿 → 柿 → 柿

筆順 一 十 才 木 木 柿 柿 柿 柿

詞語示範　柿餅　shì bǐng　・　柿子　shì zi

倉頡碼：木卜中月

persimmons

Persimmons are red in colour.

水果

méi

莓

字形演變  → 𦫳 → 𦳊 → 莓

筆順 一 十 艹 艹 艹 芢 芢 莓 莓 莓

詞語示範　cǎo méi　草莓　•　hóng méi　紅莓

倉頡碼：廿人田卜

berries

There are many berries on the cake.

水果

jiāo

椒

字形演變  → 椒 → 椒 → 椒

筆順　一 十 才 木 杧 村 村 村
　　　 村 村 椒 椒

詞語示範　qīng jiāo　　　huā jiāo
　　　　　青椒　•　花椒

倉頡碼：木卜火水

416

pepper

Peppers are red and spicy.

水果

liú

榴

字形演變 　🐞 → 榴 → 榴 → 榴

筆順　一 十 才 木 朾 朾 朾 柳
　　　柳 柳 榴 榴 榴 榴

詞語示範　<ruby>石<rt>shí</rt></ruby><ruby>榴<rt>liú</rt></ruby> ・ <ruby>榴<rt>liú</rt></ruby><ruby>花<rt>huā</rt></ruby>

倉頡碼：木竹竹田

guava

He likes to eat guava.

水果

méng

檬

字形演變  → 檬 → 檬 → 檬

筆順 一 十 十 木 术 术 栏 栏 栏
栏 栏 栏 榉 榉 檬 檬 檬 檬

詞語示範　檸檬　•　檬粉
　　　　　níng méng　　　méng fěn

倉頡碼：木廿月人

lemon

Lemon is yellow colour with sour juice.

水果

yē

椰

字形演變  ➡ 椰 ➡ 椰 ➡ 椰

筆順　一 十 才 木 木 杧 杧 杯
　　　杯 椰 椰 椰

詞語示範　椰子 · 椰青
　　　　　yē zi　　yē qīng

coconuts

Coconuts have a hard brown shell.

水果

yīng

櫻

字形演變 ⬤ → 櫻 → 櫻 → 櫻

筆順 一 十 才 木 杪 杪 枵 桴 桴 櫻
櫻 櫻 櫻 櫻 櫻 櫻 櫻 櫻

詞語示範

yīng huā　　　yīng táo

櫻花　•　櫻桃

倉頡碼：木月金女

424

cherry

Lucas likes to eat cherry.

水果

máng

杧

字形演變

筆順 一 十 才 木 朩 杧 杧

詞語示範 杧果 **máng guǒ** • 香杧 **xiāng máng**

倉頡碼：木卜女

426

mango

Mother likes to eat mango.

水果

píng

蘋

字形演變　🍎 ➜ 🏛 ➜ 蘋 ➜ 蘋

筆順　一　十　艹　艹　艹　艹　芇　莳　莳　莳
　　　莳　莎　莎　莎　蘋　蘋　蘋　蘋　蘋　蘋

詞語示範　píng guǒ　　　píng guǒ shù
　　　　　蘋果　•　蘋果樹

倉頡碼：廿卜竹金

428

apple

An apple a day keeps the doctor away.

水果

méi

梅

字形演變  → 槑 → 槑 → 梅

筆順　一 十 才 才 木 朴 村 梅 梅 梅 梅

詞語示範　méi huā　　xī méi
梅花 ・ 西梅

倉頡碼：木人田卜

plums

Jenny loves to eat plums.

動作

lì

立

字形演變

筆順 丶 亠 ㇗ 立 立

詞語示範
qǐ lì 　　　 lì zhèng
起立 ・ 立正

倉頡碼：卜廿

up

He stands up when the teacher comes in.

動作

zhàn

站

字形演變　 → 𡘊 → 𡗉 → 站

筆順　丶 亠 亠 立 立 立 站
站 站

詞語示範　zhàn lì ・ chē zhàn
站立 ・ 車站

倉頡碼：卜廿卜口

434

stand

Mary stands up to show her dress.

zǒu

走

字形演變

筆順 一 十 土 キ 卡 走 走

詞語示範

xíng zǒu　　zǒu lù
行走 • 走路

倉頡碼：土卜人

436

walk

Leo is walking on the street.

動作

zhuī

追

字形演變

筆順 ′ ′ ′ ′ ′ ′ 自 自 ′自 ′自 追 追

詞語示範
zhuī gǎn · zhuī bǔ
追趕 · 追捕

倉頡碼：卜竹口口

438

chase

Children are chasing in the playground.

動作

pá

爬

字形演變

筆順 ´ 厂 爪 爪 爪 爪 爪 爬

詞語示範
pá shān　　pá xíng
爬山　•　爬行

倉頡碼：竹人日山

climb

He likes to climb mountains.

動作

zuò

坐

字形演變

筆順 ノ 　 人 　 𠆢 　 𠘨 　 𡗗 　 坐 　 坐

詞語示範
zuò xià ‧ qǐng zuò
坐下 ‧ 請坐

倉頡碼：人人土

442

sit

Please sit down on the chair.

動作

tiào

跳

字形演變　<!-- 字形演變圖 --> → 跳 → 跳 → 跳

筆順　丶 丨 口 口 卩 卩 卩 卩
跳 跳 跳 跳 跳

詞語示範　　pǎo tiào　　　tiào wǔ
　　　　　　跑 跳 • 跳 舞

倉頡碼：口一中一人

jump

He is playing long jump.

動作

pǎo

跑

字形演變  ➔ 跑 ➔ 跑 ➔ 跑

筆順 ` ╮ ╓ 口 㕟 㕟 昆 足 趴 趵 趵 跑 跑

詞語示範

pǎo chē
跑車 ● pǎo bù
跑步

倉頡碼：口一心口山

run

He is running fast.

動作

chī

吃

字形演變

筆順 丶 丨 冂 口 口′ 吖′ 吃

詞語示範

chī hē
吃喝 ‧

chī fàn
吃飯

倉頡碼：口人弓

448

eat

John is eating a sausage with a fork.

動作

hē

喝

字形演變

筆順 ﹑ 冖 口 口ˊ 口ㄱ 吅ㄱ 吅ㄱ 吅ㄯ
喝 喝 喝 喝

詞語示範
hē chá ・ hē shuǐ
喝茶 ・ 喝水

倉頡碼：口日心女

450

drink

The boy is drinking with a straw.

動作

tǎo

逃

字形演變

筆順 丿 丿 刂 刂 扎 兆 兆 兆 逃 逃

詞語示範
táo zǒu
逃走
·
táo xué
逃學

倉頡碼：卜中一人

452

escape

The thief is escaped from the prison.

動作

xiào

笑

字形演變

筆順　ノ ト ナ ゲ ゲ 竻 竻 竻 竻 笶 笑

詞語示範　wēi xiào　微笑　•　xiào róng　笑容

倉頡碼：竹竹大

454

laugh

Benny is laughing happily.

kū

哭

字形演變

筆順 `丶口口口口口口口口哭 哭哭`

詞語示範
dà kū ・ kū qì
大哭 ・ 哭泣

倉頡碼：口口戈大

cry

He is crying.

wán

玩

字形演變  → 玩 → 玩 → 玩

筆順 一 二 干 王 玗 玗 玕 玩

詞語示範
wán jù
玩具 ．
wán yì
玩意

倉頡碼：一土一一山

play

Peter is playing the toys.

動作

shí

食

字形演變

筆順 ノ 人 人 今 今 盒 倉 倉 食

詞語示範
chī shí　　shí wù
吃食 · 食物

倉頡碼：人戈日女

eat

Jane is eating with chopsticks.

動作

pāi

拍

字形演變  ➡ 狛 ➡ 拍 ➡ 拍

筆順 一 十 扌 扌 扌 扚 拍 拍

詞語示範　拍球　・　拍照

倉頡碼：手竹日

clap

Steven is clapping his hands.

動作

shuō

說

字形演變

筆順 、 ㇒ ㇒ 亖 訁 言 言 言 訁 訁 訡 訡 訡 說

詞語示範
shuō míng
說明 ・
shuō huà
說話

倉頡碼：卜口金口山

464

say

How do you say "apple" in Chinese?

動作

chàng

唱

字形演變

筆順 ㇀ 丨 冂 日 吖 吜 哯 唱 唱 唱

詞語示範

hé chàng
合唱 ● 唱歌
chàng gē

倉頡碼：口日日

466

sing

He loves singing.

動作

shuì

睡

字形演變　→ 睡 → 睡 → 睡

筆順　丨 冂 冂 月 月 目 盯 盰 盰
盰 睡 睡 睡 睡 睡

詞語示範　shuì yī　•　shuì jiào
　　　　　睡衣　•　睡覺

倉頡碼：月山竹十一

sleep

He is sleeping in bed.

動作

zhuā

抓

字形演變

筆順 一 十 扌 扩 扩 折 抓

詞語示範

zhuā zhù
抓住 ● zhuā yǎng
抓癢

倉頡碼:手竹中人

470

scratch

Tom is scratching his arm.

動作

lā

拉

字形演變

筆順　一　十　才　扩　扩　拌　拉

詞語示範
lā shǒu　　lā chē
拉手 · 拉車

倉頡碼：手卜廿

472

pull

The man is pulling the rickshaw.

qiāo

敲

字形演變 🥁 ➝ 敽 ➝ 敽 ➝ 敲

筆順 　、　亠　宀　宀　宀　高　高
　　　高　高　高|　高|　敲　敲

詞語示範　qiāo mén　　qiāo jī
　　　　敲門　•　敲擊

倉頡碼：卜月卜水

knock

The boy is knocking a drum.

動作

kàn

看

字形演變  ➡ 看 ➡ 看 ➡ 看

筆順 一 二 三 手 手 看 看 看 看

詞語示範　　kàn jiàn　　　kàn shū
　　　　　看見 · 看書

倉頡碼：竹手月山

see

Can you see the moon in the sky?

動作

tīng

聽

字形演變  → 𦕈 → 聽 → 聽

筆順 一 厂 丌 丌 耳 耳 耳 耵 耵 耵 耵
耵 耴 耵 聄 聄 聜 聴 聴 聽 聽 聽

詞語示範
qīng tīng　　　tīng jiàn
傾聽　•　聽見

倉頡碼：尸土十田心

478

listen

She is listening on the telephone.

動作

míng

鳴

字形演變　→嗚→嗚→鳴

筆順　丶 冂 口 口′ 叮 叩 咱 咱
咱 鳴 鳴 鳴 鳴 鳴

詞語示範　míngshēng 鳴聲　•　gòngmíng 共鳴

倉頡碼：口竹日火

ring

The telephone is ringing.

動作

jiào

叫

字形演變  → 唸 → 叻 → 叫

筆順 丶 冂 口 叨 叫

詞語示範　大叫 dà jiào　•　叫聲 jiào shēng

倉頡碼：口女中

482

shout

Do not shout in the classroom.

動作

fēi

飛

字形演變

筆順 乁 乁 乁 乆 乆 乆 乆 乆 飛 飛

詞語示範　fēi jī　飛機　•　fēi xiáng　飛翔

倉頡碼：弓人竹廿人

fly

There is a plane flying in the sky.

動作

yóu

游

字形演變 🐢 ➡ 游 ➡ 游 ➡ 游

筆順 丶 丶 氵 氵 氵 汸 汸 汸 汸 汸 游 游

詞語示範
yóu yǒng
游泳
•
shàng yóu
上游

倉頡碼：水卜尸木

486

swim

He is swimming in a pool.

動作

chuān

穿

字形演變 🪡 → 🔲 → 🔲 → 穿

筆順 ` ⺈ 宀 宀 空 空 空 穿 穿

詞語示範
chuān yī · chuān xié
穿衣 · 穿鞋

倉頡碼：十金一女竹

488

wear

My brother is wearing a coat.

動作

bá

拔

字形演變  → 𢸷 → 𢶒 → 拔

筆順 一 十 扌 扌 扩 扐 拔 拔

詞語示範　bá yá　　bá hé
　　　　　拔牙　·　拔河

倉頡碼：手戈大大

490

pull

They are pulling the rope.

動作

huá

滑

字形演變　自→滑→滑→滑

筆順　丶丶氵氵汀汩汨
汨汨汮汮滑滑滑

詞語示範
huá tī　　huá xuě
滑梯　•　滑雪

倉頡碼：水月月月

492

slide

A child is playing on the slide.

動作

wǔ

舞

字形演變　 ➜ 舞 ➜ 舞 ➜ 舞

筆順　ノ ㇒ ㇒ ㇒ 㐅 無 無 無 舞 舞 舞 舞 舞 舞

詞語示範　　tiào wǔ　　　　wǔ dǎo
　　　　　　跳舞　•　舞蹈

倉頡碼：人廿弓戈手

494

dance

My sister loves dancing.

動作

dǎ

打

字形演變　🎾→ 扩 → 釘 → 打

筆順　一　十　扌　扩　打

詞語示範　打球 ・ 吹打
　　　　　dǎ qiú　　chuī dǎ

倉頡碼：手一弓

496

beat

He is beating the baseball.

動作

xué

學

字形演變  → 𦥯 → 𦥬 → 學

筆順 ´ ⺊ ⺊ ⺊ ⺊ ⺊ ⺊ ⺊

𦥯 𦥯 𦥯 ⺊𦥯 與 學 學 學

詞語示範　xué xiào　xué shēng
　　　　　學 校 ● 學 生

倉頡碼：竹月弓木

498

learn

We learn at school.

dòu

鬥

字形演變　

筆順　一　二　千　王　圧　圧　圧　圧　圧　鬥

詞語示範　dòu lì　鬥力　•　dòu niú　鬥牛

倉頡碼：中弓

500

fight

They are fighting for toys.

動作

xiū

休

字形演變  → 休 → 休 → 休

筆順 ノ 亻 亻 什 休 休

詞語示範
　　xiū jià　　　　 xiū xī
　　休假 ‧ 休息

倉頡碼：人木

rest

My brother is resting on a sofa.

huí

回

字形演變

筆順 丨 冂 冂 冋 冋 回

詞語示範
huí qù · huí jiā
回去 · 回家

倉頡碼：田口

return

My father returns home after work.

其他

nián

年

字形演變

筆順 ノ ㇒ ㇁ 午 午 年

詞語示範
xīn nián　　nián jì
新年 • 年紀

倉頡碼：人手

year

Children receive red pockets in Chinese New Year.

其他

hòu

后

字形演變  ➡ 后 ➡ 后 ➡ 后

筆順 一 厂 尸 斤 后 后

詞語示範
huáng hòu · hòu guān
皇后 · 后冠

倉頡碼：竹一口

508

queen

A queen rules a country.

其他

jí

吉

字形演變    → 吉 → 吉 → 吉

筆順   一 十 士 吉 吉 吉

詞語示範   大吉 ・ 吉利

dà   jí   jí   lì

倉頡碼：土口

510

lucky

She is lucky to win the big prize.

其他

lì

力

字形演變  → 𠃌 → 𠃌 → 力

筆順 フ力

詞語示範　lì liàng　　dà lì
　　　　　力量　·　大力

倉頡碼：大尸

512

power

He is lifting the weight with all his power.

其他

gōng

公

字形演變

筆順 ノ 八 公 公

詞語示範
gōngzhèng
公正 ‧
gōnggòng
公共

倉頡碼：金戈

public

Library is a public area.

其他

zhǐ

止

字形演變

筆順 丨 卜 止 止

詞語示範
zǔ zhǐ ・ tíng zhǐ
阻止 ・ 停止

倉頡碼：卜中一

516

stop

Stop! Do not cross the road alone.

其他

shēng

生

字形演變  → 坐 → 坐 → 生

筆順 丿 ㇒ 生 牛 生

詞語示範　shēng huó　shēng rì
　　　　　生活　•　生日

倉頡碼：竹手一

born

Tom was born in January.

其他

gǔ

古

字形演變  ➡ 古 ➡ 古 ➡ 古

筆順 一 十 十 古 古

詞語示範　古代　•　古人

gǔ dài　　　gǔ rén

倉頡碼：十口

520

ancient

The ancient people lived in caves.

其他

sì

寺

字形演變

筆順 一 十 士 圡 寺 寺

詞語示範　　sì miào　　　fú sì
　　　　　　寺廟　·　佛寺

倉頡碼：土木戈

522

temple

Our family go to visit a temple today.

其他

xíng

行

字形演變

筆順 ㇒ ㇒ 彳 彳 行 行

詞語示範
xíng zǒu
行走 ‧
bù xíng
步行

倉頡碼：竹人一一弓

524

walk

My mother is walking to the supermarket.

其他

zì

字

字形演變　🏠 ➝ 宀 ➝ 宀 ➝ 字

筆順　　　丶 丶 宀 宀 宁 字

詞語示範
wén zì　　zì mǔ
文字　•　字母

倉頡碼：十弓木

word

How to spell the word, "apple"?

ròu

肉

字形演變

筆順 丨 冂 内 内 肉 肉

詞語示範　niú ròu　　　zhū ròu
　　　　　牛肉　·　豬肉

倉頡碼：人月人

meat

I would like to eat some meat.

其他

bù

不

字形演變

筆順 一 ﾌ 不 不

詞語示範　不凡^{bù fán} ‧ 不巧^{bù qiǎo}

倉頡碼：一火

530

no

No eating in the train.

其他

zhōng

中

字形演變

筆順 丶 冂 口 中

詞語示範
zhōng jiān
中間

zhōng qiū
中秋

倉頡碼：中

532

middle

Amy is standing in the middle.

其他

yòng

用

字形演變  → 宋 → 用 → 用

筆順 丿 刀 月 用

詞語示範 　yòng gōng　　　shǐ yòng
　　　　　用功　・　使用

倉頡碼：月手

use

He is using a pen.

其他

jiǎo

角

字形演變  ▷ 角 ▷ 角 ▷ 角

筆順 ˊ ˊ ˊ ˊ 角 角 角

詞語示範
hào jiǎo
號角 · sān jiǎo
三角

倉頡碼：弓月土

angle

A triangle has three angles.

其他

wèi

位

字形演變

筆順 ノ 亻 亻 亻 付 位 位

詞語示範 位置 · 座位
wèi zhì　　　zuò wèi

倉頡碼：人卜廿

538

seat

There are two seats in the classroom.

其他

fáng

房

字形演變  → 房 → 房 → 房

筆順 `ㄱ ㄹ 戶 戶 戶 房 房

詞語示範
fáng jiān
房間 · fáng wū
房屋

倉頡碼：竹尸卜竹尸

room

There is nobody in the room.

其他

jù

具

字形演變  → 𦥔 → 𦥑 → 具

筆順 丨 冂 冂 月 目 且 具 具

詞語示範　玩具　•　文具
wán jù　wén jù

倉頡碼：月一一金

tool

Hammer is a tool.

其他

xìng

姓

字形演變　 ➝ 姓 ➝ 姓 ➝ 姓

筆順　ㄑ 女 女 女 女 姓 姓 姓

詞語示範　
xìng míng
姓名　·　
bǎi xìng
百姓

倉頡碼：女竹手一

544

surname

What is your surname?

其他

tǎ

塔

字形演變  → 塔 → 塔 → 塔

筆順 一 十 土 圵 圵 圹 圹 垯
坮 垯 㙮 塔 塔

詞語示範　gāo tǎ　　tiě tǎ
　　　　　高塔　‧　鐵塔

倉頡碼：土廿人口

tower

That tower is the tallest.

其他

bǐ

比

字形演變  → 从 → 𠤛 → 比

筆順 ㇄ ㇄ 比 比

詞語示範
bǐ jiào · bǐ sài
比較 · 比賽

倉頡碼：心心

548

compare

Can you compare the size of apples?

其他

dàn

旦

字形演變

筆順 丶 冂 冃 日 旦

詞語示範 旦夕 (dàn xī) · 元旦 (yuán dàn)

倉頡碼：日一

550

dawn

here will be a firework show at the dawn of the New Year.

其他

jù

巨

字形演變

筆順 一 匚 巨 巨

詞語示範

jù dà · jù rén
巨大 · 巨人

倉頡碼：尸尸

giant

The giant is strong.

其他

yǔ

羽

字形演變　 → 羽 → 羽 → 羽

筆順　乛　乛　乛　羽　羽　羽

詞語示範　羽毛 ・ 羽衣
　　　　　yǔ máo　　yǔ yī

倉頡碼：尸一尸戈一

554

feather

This is a bird's feather.

其他

wū

巫

字形演變

筆順 一 丁 丌 丌 丞 丞 巫

詞語示範 　巫女　‧　巫術

wū nǚ　　wū shù

倉頡碼：一人人

556

wizard

The wizard is flying on a broom.

其他

ài

愛

字形演變

筆順 　丶　ㄥ　ㄷ　ㄧ　ㄈ　ㄍ　ㄍ　悉
　　　悉　愛　愛　愛　愛

詞語示範 　ài hù　　　ài xīn
　　　　　愛護　•　愛心

倉頡碼：月月心水

558

love

I love my family.

其他

cháo

巢

字形演變

` ﹑ ﹑﹑ ﹑﹑﹑ 巛 巛 尚 巤 巤 巤 `

筆順　單 單 巢

詞語示範　niǎo cháo　　fēng cháo
　　　　　鳥巢　•　蜂巢

倉頡碼：女女田木

nest

There are some eggs in the bird nest.

其他

jī

機

字形演變 ✈ → 㡀 → 㡀 → 機

筆順　一 十 才 木 ㄋ 杠 杙 杙
　　　杙 杙 杙 桡 樨 機 機 機

詞語示範　機會 ● 機器
　　　　　jī huì　　　　jī qì

倉頡碼：木女戈戈

machine

Robot is a machine.

其他

qì

器

字形演變

筆順

ヽ 丶 冖 冂 罒 罒 罒 罗

哭 哭 哭 器 器 器 器 器

詞語示範　機器 • 武器

倉頡碼：口口戈大口

weapon

The soldier fights with weapons.

其他

shù

數

字形演變　

筆順　丶 丩 甲 甲 甲 冒 冒 婁 婁 婁 婁 數 數 數 數

詞語示範

shù mù
數目 ‧

shù xué
數學

倉頡碼：中女人大

number

There are five even numbers from 1 to 10.

其他

bǎo

寶

字形演變 🎁 ➡ 寶 ➡ 寶 ➡ 寶

筆順 丶 宀 宀 宀 宀 宀 宀 宀 宀 宔 宔 寀 寍 寶 寶 寶 寶 寶

詞語示範　bǎo bèi　　yuán bǎo
寶貝 • 元寶

倉頡碼：十一山金

treasure

He finds a lot of treasure.

其他

ān

安

字形演變

筆順 ⺀ ⺀ 宀 宊 安 安

詞語示範
ān quán
安全
·
ān jìng
安靜

倉頡碼：十女

570

safe

It is safe to wear a helmet in the site.

其他

běn

本

字形演變

筆順 一 十 才 木 本

詞語示範
書本 shū běn ・ 一本 yì běn

倉頡碼：木一

book

There are four books.

其他

duǒ

朵

字形演變

筆順 ㇒ 几 几 朵 朵 朵

詞語示範
huā duǒ
花朵
•
duǒ ér
朵兒

倉頡碼：竹弓木

flower

There are many flowers in the garden.

其他

gēn

根

字形演變  → 根 → 根 → 根

筆順　一 十 才 木 朽 杓 柙 根 根 根

詞語示範
gēn běn
根本 ・
shù gēn
樹根

倉頡碼：木日女

root

This plant has deep roots in soil.

其他

shuāng

雙

字形演變  → 雙 → 雙 → 雙

筆順

ノ 亻 亻 亻 乍 乍 隹 隹
隹 隹 隹 隹 隹 雙 雙

詞語示範

yì shuāng　　shuāng shuāng

一 雙 • 雙 雙

倉頡碼：人土水

578

pair

There is a pair of socks.

其他

zhí

直

字形演變

筆順　一 十 广 市 市 有 直 直

詞語示範　<ruby>直立<rt>zhí lì</rt></ruby> ・ <ruby>直尺<rt>zhí chǐ</rt></ruby>

倉頡碼：十月一一

straight

He is standing straight.

對比

shàng

上

字形演變

筆順 丨 卜 上

詞語示範　上山_{shàng shān} · 爬上_{pá shàng}

倉頡碼：卜一

582

up

He points up his finger.

對比

xià

下

字形演變  → 二 → 下 → 下

筆順 一 丁 下

詞語示範
下地
xià dì

落下
luò xià

倉頡碼：一卜

down

The ball is falling down on the floor.

對比

dà

大

字形演變  大 → 大 → 大

筆順 一 ナ 大

詞語示範
dà rén dà shì
大人・大事

倉頡碼：大

big

Elephant is big.

xiǎo

小

字形演變  → 爪 → 小 → 小

筆順 亅 小 小

詞語示範
小人
xiǎo rén

·
小鳥
xiǎo niǎo

倉頡碼：弓金

small

Ant is small.

對比

zuǒ

左

字形演變

筆順 一 ナ 大 左 左

詞語示範
zuǒ biān ・ zuǒ shǒu
左邊 ・ 左手

倉頡碼：大一

590

left

Put up your left hand.

對比

yòu

右

字形演變

筆順　一ナ才右右

詞語示範　右手 · 左右
yòu shǒu　　zuǒ yòu

倉頡碼：大口

592

right

She writes with right hand.

對比

cháng

長

| 字形演變 |  |

筆順 一 ㄏ ㄈ ㄈ 三 長 長 長

詞語示範　cháng dù　cháng chǐ
　　　　　長度　·　長尺

倉頡碼：尸一女

594

long

The ruler is long.

對比

duǎn

短

字形演變 　

筆順　ノ　ト　レ　チ　矢　矢　知　知
　　　知　知　短　短

詞語示範
　　　duǎn chǐ　　　　duǎn chù
　　　短尺　•　短處

倉頡碼：人大一口廿

short

The pencil is short.

對比

kuài

快

字形演變

筆順 ㇔ ㇔ 忄 忄 忄 快 快

詞語示範

fēi kuài
飛快 ‧

kuài sù
快速

倉頡碼：心木大

fast

He can run fast.

對比

màn

慢

字形演變　 ➡ 慢 ➡ 慢 ➡ 慢

筆順　　　ノ 忄 忄 忄 忄 忄 忄 忄
　　　　　忄 忄 忄 忄 慢 慢

詞語示範　huǎn màn　　màn zǒu
　　　　　緩慢　•　慢走

倉頡碼：心日田水

slow

Tortoise walks slowly.

對比

lǎo

老

字形演變

筆順 一 十 土 耂 耂 老 老

詞語示範　老人 ˙ 老師
　　　　　lǎo rén　　lǎo shī

倉頡碼：十大心

old

My grandfather is old.

對比

yòu

幼

字形演變  → 𢆶 → 幼 → 幼

筆順 ㄥ ㄠ ㄠ 幻 幼

詞語示範
yòu ér   yòu xiǎo
幼兒 · 幼小

倉頡碼：女戈大尸

young

The baby is young.

對比

pàng

胖

字形演變  → 胖 → 胖 → 胖

筆順 丿 刀 月 月 月 月ˊ 胖ˊ 胖 胖

詞語示範　胖子 • 肥胖
　　　　　pàng zi　　féi pàng

倉頡碼：月火手

fat

My father is fat.

對比

shòu

瘦

字形演變

筆順　丶　亠　广　疒　疒　疒　疒　疒　疒　疒　疒　疒　痩　瘦

詞語示範
shòu shēn　shòu ruò
瘦身 ‧ 瘦弱

倉頡碼：大竹難水

608

thin

My brother is thin.

對比

lěng

冷

字形演變

筆順 `　丶　冫　氵　冷　冷　冷　冷

詞語示範
lěng qì　　　hán lěng
冷氣　•　寒冷

倉頡碼：戈一人戈戈

cold

It is cold in winter.

對比

rè

熱

字形演變 ☀🔥 → 蓻 → 埶 → 熱

筆順 一 十 土 圥 夫 去 坴 坴 坴
執 執 執 熱 熱 熱

詞語示範 　yán rè　　　rè liàng
　　　　　炎熱　•　熱量

倉頡碼：土戈火

hot

It is hot in summer.

對比

cū

粗

字形演變  →粗→粗→粗

筆順 ⟍ ⟋ ⟍ ⟍ ⟋ ⟍ ⟋ ⟍ ⟋ ⟍ ⟋ ⟍ ⟋ ⟍ 半 ⟋ 半 ⟋ 米 ⟋ 粗 ⟋ 粗

詞語示範
cū zhuàng　　cū xīn
粗 壯　•　粗 心

倉頡碼：火木月一

thick

There is a thick wood.

對比

xì

細

字形演變　 → 小 → 小 → 細

筆順　ˊ ㄠ ㄠ ㄠ ㄠ ㄠ 糸 糹 紅
紀 細 細

詞語示範　仔細 · 細心
　　　　　zǐ xì　　xì xīn

倉頡碼：女火田

616

thin

The bamboo is thin.

對比

lǐ

裡

字形演變  → 裹 → 裏 → 裡

筆順 丶 ｱ ｫ ｫ ｫ 初 初 袒
神 袒 裡

詞語示範 lǐ miàn · xīn lǐ
裡面 · 心裡

倉頡碼：中田土

inside

There is a kitten inside the box.

對比

wài

外

字形演變  → 外 → 外 → 外

筆順 ノ ク タ 列 外

詞語示範
wài miàn ・ jiāo wài
外面 ・ 郊外

倉頡碼：弓戈卜

outside

The kitten is standing outside the box.

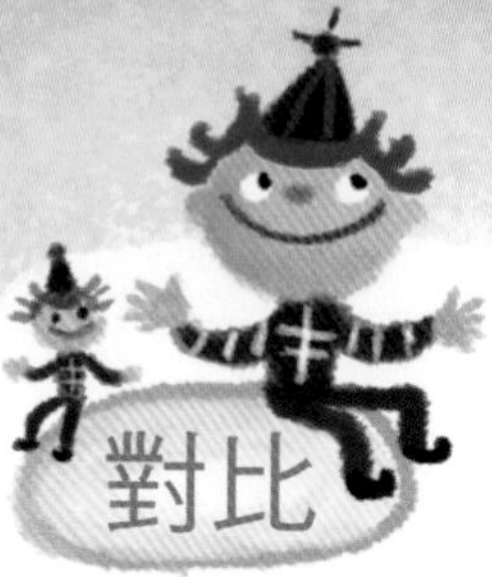

qīng

輕

字形演變

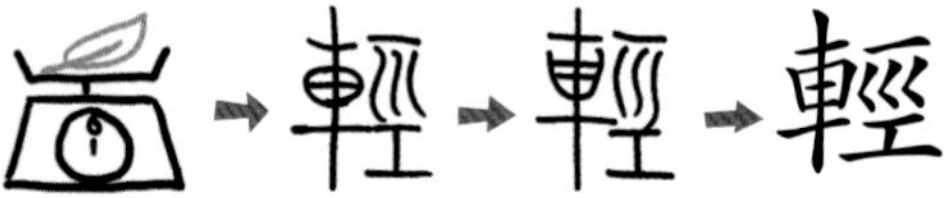

筆順

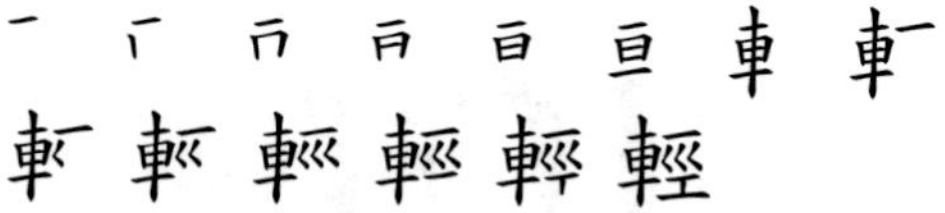

詞語示範

qīng biàn 輕便 ・ qīng qiǎo 輕巧

倉頡碼：十十一女一

light

A feather is light.

對比

zhòng

重

字形演變

筆順 一 二 千 台 台 台 台 重 重 重

詞語示範
zhòng liàng
重量
·
qīng zhòng
輕重

倉頡碼：竹十田土

heavy

The gold bars are heavy.

對比

gāo

高

字形演變  → 侖 → 高 → 高

筆順 、　亠　亠　古　古　古　亭　高　高

高　高

詞語示範
gāo shàng
高尚 ・
gāo shān
高山

倉頡碼：卜口月口

high

There is a house on the high hill.

對比

dī

低

字形演變

筆順 ノ 亻 亻 仁 仟 低 低

詞語示範

dī dì　　gāo dī
低地 · 高低

倉頡碼：人竹心一

628

low

A paper is flying low near the ground.

對比

zǎo

早

字形演變  旲 → 旲 → 早

筆順 丶 冂 日 日 旦 早

詞語示範　早安 ・ 清早
　　　　　zǎo ān　　qīng zǎo

倉頡碼：日十

morning

Sun rises in the morning.

對比

wǎn

晚

字形演變  → 晚 → 晚 → 晚

筆順 一 刀 月 日 日′ 日″ 昒 昒 昗 晚

詞語示範

wǎn ān　　wǎn fàn
晚安 ・ 晚飯

倉頡碼：日弓日山

632

night

We can see the moon at night.

新編
識字魔法字典

編　　著：唐羚
繪　　畫：蔡耀東
策劃製作：黃鳴崗
文字編輯：胡頌茵
出版發行：小樹苗教育出版社有限公司
地　　址：香港北角英皇道310號雲華大廈4樓505室
電　　話：852-2508 9920
傳　　真：852-2806 3267
電　　郵：info@sesame.com.hk
網　　址：www.sesame.com.hk
讀者熱線：852-2571 6039
印　　刷：彩圖柯式印刷有限公司
版　　次：2011年3月第3版
國際書號：978-988-8041-33-6
定　　價：港幣72元

© 2010 Sesame Publication Co., Ltd.
Rm.505, 4/F., Winner House, 310 King's Road, North Point, H.K.
版權所有 · 翻印必究

Printed in Hong Kong